TINA CASPARI

Mit 15 wachsen einem Flügel

Schneider-Buch

Das ist **Katharina Steinebach,** genannt **Katja,** die sich von einem unansehnlichen, gehemmten Geschöpf zu einer beachtlichen junge Dame wandelt

Auf **Mami und Papi** kann Katja sich immer verlassen. Sogar für eine verliebte Katja haben sie Verständnis

Das ist die Schwester **Celia** – und die unverbesserlichen Zwillinge **Markus und Fips**

Mit **Klaus Funke,** dem kessen Berliner, der Katja im vorigen Schuljahr so vergeblich wie hartnäckig angebetet hat, gibt es ein überraschendes Wiedersehen

Janos Thöldy, Solotänzer an der Staatsoper und ehemaliger Schüler von Frau Künzel, erscheint als Retter in der Not und stellt nicht nur die Schule, sondern auch Katjas Leben auf den Kopf

Seit **Petra,** Katjas beste Freundin, in den vergangenen Sommerferien in Tirol Stefan kennengelernt hat, interessiert sie sich mehr für Salzburger Nockerl als für die Ballettschule – im Gegensatz zu Katja, die die gütige, gescheite Ballettlehrerin **Frau Künzel** wie eine zweite Mutter liebt

Wie gut, daß es **Luischen** gibt, Klaus Funkes Großmutter. Sie weiß und versteht alles

Elfie, Frau Künzels Assistentin, ist es zu danken, daß die Ballettschule nicht schließen muß

Marcella, die hübsche Verlobte von Janos, bringt Katja völlig durcheinander und verursacht einen Tränenbach

Inhalt

Der neue Nachbar	11
Eine schlimme Nachricht	19
Janos der Große	25
Was ist bloß mit Katja los?	32
Besuch im Krankenhaus	39
Klaus Funke ist sauer	46
Katja in der Oper	56
Die verunglückte Party	65
Jetzt erst recht	76
Katja macht eine Entdeckung	82

Der neue Nachbar

„Ich kann das Biest nicht mehr halten!"

Der hilflose Verzweiflungsschrei kam aus einer rauhen Männerkehle. Es folgte ein donnerndes Krachen von splitterndem Holz und Glasscherben.

Katja zuckte zusammen und sah beunruhigt von ihrem Matheheft auf. Schon seit einiger Zeit hatte sie die Unruhe vor dem Nachbarhaus gestört. Was war da los?

„Ja, biste denn vom wilden Affen jebissen? Det Ding hat mich Tausende jekostet!" schimpfte jetzt eine zweite Männerstimme. „Und ich Idiot mußte unbedingt das Geld für den Möbeltransport sparen!" fügte der Mann plötzlich in Hochdeutsch hinzu.

Katja wurde neugierig. Sie haßte es zwar, wenn ihre jüngeren Geschwister bei dem kleinsten Geräusch auf der

Straße ans Fenster stürzten, aus Angst, etwas zu versäumen. Sie selbst gab sich dann betont uninteressiert. Schließlich war sie fast fünfzehn. Aber jetzt? Draußen war schließlich das Wort „Möbeltransport" gefallen. Und das konnte nur bedeuten: sie bekamen endlich einen Nachbarn.

Katja stand auf und reckte sich und schaute ganz unauffällig über die Schulter aus dem Fenster. Auf der Straße hockten zwei Männer – ungefähr in Papis Alter – und sammelten die Reste einer altmodischen Vitrine zusammen. Neben ihnen stand ein offener Lastwagen mit der Aufschrift „Bauer & Funke – Gartengestaltung – Landschaftsgärtnerei". Der Wagen war mit Möbeln beladen, die in Planen und Plastikhüllen gewickelt und mit Seilen auf dem Fahrzeug festgebunden waren.

„Wie soll ick det bloß Muttchen beibringen, sie hängt so an dem Stück!" jammerte der Größere von den beiden. Er trug eine Bürstenfrisur und einen Vollbart und kam Katja bekannt vor, obwohl sie sicher war, ihn noch nie gesehen zu haben.

„Nu reg dich doch nicht auf. Den reparier ich dir, daß er aussieht wie neu", tröstete der andere.

„Det is ja det Schlimme ...", unkte der Bärtige.

„Was?"

„Det a denn aussehen wird wie neu! Du hast doch keene Ahnung von Antiquitäten!"

Katja kicherte.

Unten erschienen Markus und Fips auf der Bildfläche. Wäre ja auch ein Wunder gewesen, wenn sie ein solches Ereignis nicht magisch angezogen hätte.

„Das war 'n Klasse-Plumps!" lobte Fips den Mann, dem das Mißgeschick passiert war.

Markus betrachtete prüfend die übrige Ladung.

„Schmeißt du das andere auch einfach runter?" fragte er den Bärtigen, der sich jetzt ächzend aufrichtete und sich den Rücken rieb.

„Wenn du versprichst, alles aufzufangen? Warum nicht?"

Nun, wenigstens hatte der zukünftige Nachbar Humor. Den würde er im Umgang mit den Zwillingen Fips und Markus noch brauchen können.

Auf der anderen Straßenseite hielt mit einer plötzlichen scharfen Bremsung ein kleiner roter Fiat. Auch er war beladen mit Körben, Kartons und Tüten. Aus seinem Inneren schälte sich eine weißhaarige ältere Dame mit blitzenden dunklen Augen und Löckchenfrisur. Ihr Blick fiel sofort auf die Reste der Vitrine.

„Ach du lieber Himmel!“ Sie hatte eine kräftige Baßstimme. „Wie ist denn das passiert? Konntet ihr nicht warten, bis die Jungen hier sind? Das schöne Stück!“ Sie schaute mißbilligend von einem zum anderen. Die Männer senkten schuldbewußt die Köpfe.

„Muttchen, das läßt sich alles wieder . . .“, begann der Bärtige.

„Ach wat denn. Immer det gleiche. Zwee linke Hände . . .“, wehrte die alte Dame ärgerlich ab. Sie gehörte offensichtlich zur Familie.

Katja sah, wie Markus und Fips eifrig gestikulierend ihre Spielkameraden aus der Nachbarschaft zusammentrommelten, damit auch sie etwas von dem einmaligen Schauspiel hätten. Der Platz vor dem Hause füllte sich schnell. Katja hielt es für besser, einzugreifen. Die Matheaufgabe würde sie auch später noch erledigen können.

In der Küche stand Mami und schüttete Mehl in eine große Schüssel. Celia stand neben ihr und erzählte die üblichen Jammergeschichten: wer sie auf dem Schulhof alles geneckt, geschubst, gekniffen oder ihr sonst etwas angetan hatte. Sie erzählte jeden Tag das gleiche, obgleich sie genau wußte, daß Mami bei solchen Erzählungen plötzlich taub wurde und zu keiner teilnahmsvollen Reaktion zu bewegen war.

„Wißt ihr schon das Neueste?“ rief Katja durch die Tür. „Drüben zieht endlich jemand ein!“

„Hm . . .“, machte Mami nur.

Katja schaute ihr über die Schulter.

„Was wird denn das?“

„Selbstgebackenes Bauernbrot“, belehrte Celia die Schwester, „als Geschenk für die neuen Nachbarn.“

Das sah Mami wieder mal ähnlich! Hatte sie nicht beim Frühstück erklärt, sie wolle heute endlich den riesigen Korb voller Wäsche wegbügeln, und nichts könne sie davon abhalten?

„Du bist die wundervollste Mutter, die ich kenne“, sagte Katja und gab ihr einen Kuß. „Ich geh raus und frage, ob ich helfen kann. Fips und Markus sind schon eifrig dabei, sich unbeliebt zu machen.“

„Ich komme mit!“ erklärte Celia, deren Neugierde auf die Nachbarn plötzlich erwachte.

Draußen war inzwischen ein weiteres Auto eingetroffen. Ein spindeldürrer Jüngling von fast zwei Meter Länge schleppte Koffer ins Haus. Ein anderer hatte sich einen Sessel über den Kopf gestülpt.

„Kann ich helfen?“ fragte Katja in Richtung des Sessels.

Der Sessel wurde so abrupt abgesetzt, daß die hölzernen Füße bedenklich krachten.

„Katja!“

„Klaus! Klaus Funke – was machst du denn hier? Hilfst du beim Umzug?“

„Was heißt helfen! Ich ziehe um, wie du siehst . . .“ Sein Kopf war beim Anblick Katjas noch etwas roter geworden, als er es vorher schon war. Verwirrt strich er sich die Haare aus der verschwitzten Stirn und ließ sich auf den Sessel fallen.

„Das hier ist meiner, mein bestes Stück!“ sagte er. „Allerdings soll er jetzt neu bezogen werden“, fügte er mit einem entschuldigenden Blick auf die speckigen Polster hinzu.

„Du wirst mein neuer Nachbar? Das darf nicht wahr sein! Davon hast du ja gar nichts erzählt . . .“

„Hab ja nicht gewußt, daß du hier wohnst. Ich war nur einmal abends mit meinem Vater hier, und da war es zu dunkel, um die Namensschilder an den Nachbarhäusern zu lesen."

Der langbeinige Jüngling kam wieder aus dem Haus und warf einen mißbilligenden Blick auf Klaus und seinen Sessel.

„Was ist? Keine Müdigkeit vorschützen, mein Alter, wir haben noch viel zu tun."

Klaus sprang auf.

„Darf ich euch bekannt machen?" fragte er auf recht förmliche Art. „Das ist mein älterer Bruder Alex. Er studiert bereits auf der Universität. Alex, das ist unsere Nachbarin Katja Steinebach."

„Ja, und das ist meine jüngere Schwester Celia", fügte Katja schnell hinzu, „und das dort sind meine beiden Brüder. Markus und Philipp."

Alex und Klaus gaben allen die Hand.

„So – und jetzt laß uns dieses Monstrum gemeinsam hineintragen, dann geht's leichter. Welches wird dein Zimmer?"

Katja griff betont munter den Sessel, um über die etwas steife Begrüßung hinwegzuhelfen.

„Gleich hier unten neben der Küche!" Klaus wies mit dem Kopf in die Richtung. „Oben das große Balkonzimmer bekommt meine Großmutter, das vordere mein Vater und das kleine daneben mein Bruder. Das Zimmer unterm Dach wird das Gästezimmer", erklärte Klaus.

„Und deine Mutter?" rutschte es Katja heraus.

Klaus sah Katja nicht an. „Sie kommt nur manchmal auf Besuch. Meine Eltern leben getrennt, weißt du", sagte er leichthin.

„Ach so, entschuldige, das wußte ich nicht."

„Konntest du ja auch nicht, woher auch?"

„Also, wo soll der Sessel hin? Hier in der Ecke wäre es am hübschesten, was meinst du?"

„Laß uns erst mal alles hereinbringen, dann richten wir ein, okay?“

Draußen im Flur stolperten die Zwillinge mit angespannten Gesichtern vorbei und schleppten einen Korb mit Wäsche ins Wohnzimmer. Celia schritt hinter ihnen her wie die Königin von Saba und balancierte einen Stapel Polsterkissen auf dem Kopf. Auf der Türschwelle stolperte sie und fiel über die Zwillinge mit dem Wäschekorb. Die Kissen kullerten durch den ganzen Raum, die drei Kinder rollten zwischen Laken und Tüchern am Boden und kicherten. Im Nu war die schönste Kissenschlacht im Gange.

„Macht, daß ihr rauskommt, müßt ihr euch denn gleich am ersten Tag danebenbenehmen!“ keifte Katja.

Klatsch! landete eines der Kissen auf ihrem Po. Katja drehte sich wütend um. Hinter ihr stand der Bärtige und grinste.

„Das ist mein Vater“, sagte Klaus entschuldigend. „Mach dir nichts draus, er ist immer so. Das hat er von meiner Großmutter.“

Katja reichte Herrn Funke verlegen die Hand. Der setzte gerade an, die Kissenschlacht mit Markus und Fips fortzusetzen.

Klaus zog Katja aus dem Zimmer.

„Komm, ich mach dich gleich mit dem Rest der Familie bekannt. Das da“, er zeigte auf den rundlichen blonden Mann, dem vorhin die Vitrine aus den Händen gerutscht war, und der jetzt vorsichtig eine Stehlampe vor sich herbalancierte, „das ist Onkel Erich, Vaters Partner und Freund. Und das ist meine Großmutter.“ Klaus schob Katja vor sich her in die Küche. „Luischen, darf ich dir Katja vorstellen?“

Bei dem Wort „Luischen“ sah Katja sich fragend um. Klaus lachte.

„Wir nennen sie alle Luischen, sie hat es gern, und wir finden es schöner als ‚Oma‘ oder ‚Omi‘. Das würde gar nicht zu ihr passen.“

Die alte Dame strahlte Herzlichkeit und Energie aus. Sie sah Katja an, als wüßte sie bereits alles von ihr und fände es höchst überflüssig, daß sie ihr nun noch extra vorgestellt werden sollte. Sie drückte Katja einen Berg Teller in den Arm und wies mit einer raschen Kopfbewegung, bei der ihre Löckchen wie auf kleinen Spiralfedern tanzten, auf einen der Hängeschränke.

„Da oben rein. Schau mal nach, ob sie staubig sind."

„Die Schränke?"

„Nein, die Teller."

„Nö."

„Um so besser. Hier sind die Untertassen und die Frühstücksteller. Die stellst du daneben. Und vorne kommen die Tassen hin." Sie lief nach draußen, um weitere Körbe mit Küchenutensilien hereinzuholen.

„Gefällt sie dir?" fragte Klaus, der immer noch in der Tür stand.

„Sehr."

„Mir auch. Sie ist der einzige Mensch, vor dem ich keine Geheimnisse habe."

Katja wurde rot. Dann wußte Luischen also auch, daß Klaus im vorigen Schuljahr in sie verliebt gewesen war. Und wie blöd sie sich benommen hatte, weil sie einfach nicht kapieren wollte, daß ein Junge sich für die häßliche, langweilige Katharina Steinebach interessieren könnte. Damals hatte sie noch diese gräßliche Zahnspange getragen, „Klemmentine". Du lieber Himmel, hatte sie sich blamiert!

„Mußt du heute nicht zum Balletttraining?" riß Klaus sie aus ihren Gedanken.

„Nein, erst morgen."

„Und auch nicht zu Petra?"

„Die ist mit ihrer Mutter in der Stadt. Schuhe kaufen."

„Hab ich ein Glück. Dann kannst du mir ja helfen, mein Zimmer einzurichten."

„Klar, so was mache ich wahnsinnig gern!" Es klang ein bißchen verkrampft, obgleich es doch so richtig strahlend hatte herauskommen sollen.

Klaus merkte es zum Glück nicht.

„Fein, dann setze ich jetzt den Schrank und das Bücherregal zusammen, bis du hier fertig bist. Ich ruf dich dann."

„Okay."

Zwei Stunden später hockten sie erschöpft auf dem Fensterbrett und betrachteten ihr Werk.

„Richtig gemütlich!" stellte Klaus zufrieden fest. „Das Poster gefällt mir nicht mehr, da muß bald etwas anderes her. Was würdest du als Stoff für die Vorhänge und den Sessel vorschlagen?"

Katja sog an ihrer Cola. „Jeansstoff. Oder Schotten – irgend so was."

Draußen gab es einen Tumult. Mami war mit dem frischgebackenen Brot erschienen, das sie in ein rotweißkariertes Tuch eingeschlagen hatte. In der Mitte des Brotes war eine kleine Mulde, in die sie ein Schälchen mit Salz gestellt hatte. Klaus und Katja hörten, wie Luischen sich überschwenglich bedankte.

„Komm, laß uns zu den anderen gehen, jetzt wird's sicher richtig gemütlich bei uns."

Klaus hatte recht. Herr Funke, der darauf bestand, daß die Nachbarkinder ihn von Anfang an mit „Onkel Edi" anredeten, hatte Bier und Wein bereitgestellt, Luischen brachte Schüsseln mit Keksen und Chips, und bald saß im halbeingerichteten Wohnzimmer alles im Kreis herum und schwatzte und lachte. Als Papi draußen vorfuhr, wurde er sofort von den Zwillingen herbeigeschleppt und in einen Sessel gedrückt. Die Männer fachsimpelten bald über die Vor- und Nachteile dieser Reihenhaussiedlung, in der sie nun Wand an Wand wohnen würden. Mami schilderte Luischen in glühenden Farben alle Katastrophen, die während des ersten Jahres mit Wasserrohren, elektrischen Leitungen, undichten Stellen im Dach und ähnlichen Tücken über sie hereingebrochen waren. Sie versprach in all solchen Fällen ihre nachbarliche Hilfe. Und die Zwillinge und Celia hockten mit dem dicken Onkel Erich um die Gebäck-Schüsseln und teilten die Schokoladenkekse unter sich auf.

Klaus hockte sich neben Katja auf die Sessellehne. Die Verandatür stand weit auf, es war mild an diesem Märzabend, die Vögel begrüßten jubelnd den Frühling, und die letzten Strahlen der Sonne vergoldeten die Kraterlandschaft, aus der mal ein Garten werden sollte.

„Dürfen wir die Glotze anmachen? Ich glaube, jetzt kommt 'ne Kindersendung!" posaunte Markus.

„Hier nicht", knurrte Mami.

„Sind wir nicht schon klasse Nachbarn?" fragte Klaus leise.

„Doch", meinte Katja und wurde rot.

Eine schlimme Nachricht

Am nächsten Tag schien der Winter zurückkehren zu wollen. Ein eiskalter Wind fegte trockene Blätter und Wolken aus Staub und Graupelschnee vor sich her, als Katja die Straße zur Ballettschule Künzel hinauflief. Sie zog die Kapuze ihres Parka so weit es ging nach vorne und hielt sie über Mund und Nase zusammen.

Petra hatte es gut! Die hatte sich, wie sie es neuerdings oft tat, vor dem Training gedrückt und lag mit Schreibblock und Stift bewaffnet zu Hause auf der Couch, um den täglichen Brief an ihren Stefan zu schreiben. Oder sie entwarf eine neue Einrichtung für die Zimmer ihrer Reiterpension, von der sie Tag und Nacht träumte. Seit Petra ihrer Mutter klargemacht hatte, daß sie nicht beabsichtigte, Tänzerin oder Schauspielerin zu werden, und ihre Mutter schweren Herzens Abschied von dem Traum genommen hatte, aus Petra einen großen Star zu machen, nahm es Petra mit dem Ballett-Training nicht mehr so genau.

Einerseits freute sich Katja für die Freundin, daß sie den Zwang, ständig Höchstleistungen zu vollbringen, abgeschüttelt hatte und endlich damit begann, Dinge zu tun, die ihr Spaß machten. Aber andererseits vermißte sie Petra sehr, wenn sie allein zum Training gehen mußte.

Katja zog die schwere Eingangstür des alten Mietshauses auf. Schon als sie die Treppe hinunterstieg, spürte sie, daß etwas Außerordentliches geschehen sein mußte. Auf dem Flur war es still, und auch in der Garderobe war noch niemand. Merkwürdig! Aber hinten im Aufenthaltsraum hörte sie leise Stimmen. Sie klangen aufgeregt und ängstlich. Katja lief nach hinten und öffnete die Tür.

Dort saßen sie – auf Stühlen, Tischen und auf dem Fußboden, Mädchen aller Altersklassen, in Trikots oder in ihrer Straßenkleidung, wie sie gerade gekommen waren, in der Mitte Elfie Krüger, Frau Künzels Assistentin.

„Was ist los? Ihr macht Gesichter, als wäret ihr auf einer Beerdigung!“ fragte Katja beunruhigt.

Einen Augenblick herrschte bedrücktes Schweigen. Dann sah Elfie Katja an und sagte ernst: „Frau Künzel ist schwer verunglückt. Sie lebt – aber sie wird wochenlang – vielleicht Monate – im Krankenhaus bleiben müssen.“

Katja wurde blaß. Sie liebte und bewunderte die stille, gütige Ballettlehrerin wie eine zweite Mutter.

„Wie – wann – ist das passiert?“ stammelte sie.

„Vor zwei Stunden. Sie wollte mit dem Auto schnell in die Stadt fahren, um in der Mittagspause ein paar Besorgungen zu machen. Ein anderer Wagen hat das Rotlicht überfahren und ist mit ganzer Wucht in sie hineingefahren. Das Auto ist nur noch ein Schrotthaufen. Ein Wunder, daß sie lebt!“

„Mein Gott! Und nun?"

„Deshalb sitzen wir hier und zerbrechen uns die Köpfe. Ohne Frau Künzel kann der Schulbetrieb nicht weitergehen. Aber wenn die Schule geschlossen wird – wer soll dann die Krankenhaus- und Operationskosten tragen? Frau Künzel hat zwar eine Versicherung, aber sie reicht bei weitem nicht aus. Die Schule ist ihre Existenzgrundlage."

„Ja", mischte sich eines der älteren Mädchen ein, „wenn die Schule jetzt monatelang geschlossen bleibt, werden sich alle Schüler nach einer anderen Schule umsehen, und wenn Frau Künzel schließlich wiederkommt, ist sie ihre Schüler los!"

„Ich würde sie nicht im Stich lassen!" sagte Katja empört.

„Natürlich nicht, ich auch nicht. Aber denk doch mal an die Mutter-und-Kind-Kurse, die Gymnastik für Berufstätige – und die ganzen Anfängerkurse. Meinst du wirklich, die würden aus Rücksicht auf Frau Künzels Krankheit monatelang warten, bis sie wieder zum Unterricht kommen können?"

„Gerade, bevor du kamst", Elfie schaute in die Runde, „hatte ich einen Vorschlag gemacht. Nämlich, was wir tun könnten, die Schule ohne Frau Künzel weiterzuführen. Mit Rico habe ich schon telefoniert. Er wäre bereit, ein paar zusätzliche Stunden zu übernehmen. Aber das reicht natürlich nicht aus. Wir brauchen noch eine vollausgebildete Lehrkraft für die wichtigsten Stunden. Und – ich brauche ein paar Assistentinnen."

Katja hob die Hand.

„Wenn du mich brauchen kannst – hier hast du eine. Und ich bin sicher, Petra macht auch mit."

„Das habe ich gehofft."

Drei der größeren Mädchen meldeten sich ebenfalls.

„Ulrike, Inga und Constanze. Damit hätte ich schon fünf. Jetzt brauchen wir nur noch eine Lehrerin . . ."

„Oder einen Lehrer. Bist du schon mal die Heldengalerie durchgegangen?" fragte die blonde Ulrike vom Fensterbrett.

Die „Heldengalerie" war eine Reihe von Fotos ehemaliger Schüler, die es an einem der großen Theater zu Ruhm und Ehren gebracht hatten. Sie zierten, versehen mit schwungvollen Widmungen, die Wände des Flurs und des Empfangsraumes.

„Ja. Es kämen eigentlich nur zwei in Frage – die beiden, die in der Nähe sind. Bibi Castell, aber die probt für eine Fernsehshow. Und Janos Thöldy, der an der Staatsoper engagiert ist."

„Janos? Der macht das doch nie!" rief Inga aus. „Neben all den Proben und Vorstellungen . . ."

„Nun, ich werde ihn jedenfalls fragen. Er war ein Lieblingsschüler von Frau Künzel, und wenn er uns schon nicht helfen kann, dann kann er uns vielleicht einen geeigneten Kollegen nennen. Ich werde jetzt telefonieren. Und ihr – ihr macht euch wohl besser an die Arbeit. Constanze, übernimmst du heute die Leitung des Trainings?"

„Mach ich."

Die Mädchen erhoben sich und verließen eine nach der anderen den Raum, immer noch wie gelähmt von der schrecklichen Nachricht. Als Katja den Ballettsaal betreten wollte, rief Elfie sie noch einmal zurück.

„Könntest du den ‚Zwergen-Kurs' um vier Uhr übernehmen, Katja? Die Drei- bis Fünfjährigen – ein bißchen Bodenturnen, Laufübungen und so weiter. Ich stelle dir ein Programm zusammen."

„Klar, gern!" Katja wurde rot vor Stolz.

Mami würde Augen machen, wenn sie heute abend von ihren neuen Aufgaben erzählen würde. Assistentin in der Ballettschule Künzel. Sie nahm sich vor, alles zu tun, um Frau Künzel Ehre zu machen.

Im großen Ballettsaal hatten die Mädchen bereits mit dem Training begonnen. Katja schlüpfte schnell an ihren Platz. Mit so viel Ernst und Konzentration hatten sie schon lange nicht mehr gearbeitet.

„Wißt ihr was?" sagte die kleine Britta plötzlich in das

gleichmäßige Fußescharren hinein. „Wie wär's, wenn wir zugunsten von Frau Künzel einen Tanzabend veranstalten würden?"

Constanze ließ überrascht das Tamburin sinken, auf dem sie den Takt geklopft hatte, und die Mädchen unterbrachen die Übung.

„Mensch, Britta, das ist die Idee! Das müssen wir nachher gleich mal mit Elfie besprechen", sagte Constanze aufgeregt. Sie hatte seit langem auf eine Gelegenheit gehofft, ihr Können vor einem Publikum zu zeigen. Vielleicht würden ihre Eltern dann endlich nachgeben und ihr die Berufsausbildung zur Tänzerin gestatten.

Auch die übrigen Mädchen waren bei dem Gedanken, bei einem Ballettabend aufzutreten, Feuer und Flamme. Jede träumte sich in ihre Lieblingsrolle hinein, bis Constanze schließlich mahnte: „So, nun laßt uns aber noch was tun, sonst reicht unsere Kondition nicht mal für 'ne Pantomime."

„Kinder, es hat geklappt!" rief Elfie glücklich, als die Mädchen später aus dem Ballettsaal kamen. „Janos Thöldy will für Frau Künzel einspringen. Er hat gemeint, für seine zweite Mutter, der er all seinen Erfolg verdankt, würde er alles andere stehen- und liegenlassen. Außerdem muß er sich ohnehin im Augenblick wegen einer Verletzung etwas schonen und hat seine schwierigsten Partien vorübergehend abgegeben."

„Wir haben also Glück im Unglück", meinte Ulrike erleichtert. „Ich glaube, wenn Frau Künzel das hört, wird es ihr gleich ein bißchen besser gehen. Darf man sie besuchen?"

„Vorläufig noch nicht. Aber ich rufe täglich zweimal im Krankenhaus an, um mich nach ihr zu erkundigen. Sobald sie Besuch bekommen darf, sage ich euch Bescheid."

Die Garderobe füllte sich mit Müttern und ihren drei- bis fünfjährigen Sprößlingen. Elfie nahm Katja am Arm und stellte sie als vorläufige Lehrkraft für diesen Kurs vor. Katja wurde fast ein wenig mulmig, als die Frauen sie mit einer Mischung aus Skepsis und Neugier musterten. Aber wenn sie mit Markus und Fips fertig wurde, würde sie auch diese acht Zwerge schaffen.

Und es ging leichter, als sie gedacht hatte. Sie ließ die Kleinen Figuren laufen, hüpfen und rückwärtsgehen, dann kam eine Reihe von Bodenübungen und Geschicklichkeits-Aufgaben, und schließlich ein paar Ballspiele. Ihre anfängliche Hemmung vor den Müttern, die am Rande saßen und zuschauten, verflog sehr schnell. Ein versteckter Seitenblick auf ihr gestrenges Publikum zeigte ihr bald, daß man mit ihrer Arbeit zufrieden war.

„Ich habe nicht geglaubt, daß mir das Unterrichten so viel Spaß machen würde!“ sagte sie später zu Elfie. „Hast du schon einen Plan gemacht, welche Stunden ich noch übernehmen kann?“

„Ja, hier. Ich habe mir gedacht, daß du dir diese Stunden mit Petra teilst. Macht unter euch aus, wer welche übernimmt, einverstanden?“

„Okay – ich geh jetzt gleich bei ihr vorbei und bespreche das mit ihr.“

Mami nahm Katjas begeisterten Bericht beim Abendbrot mit leichter Besorgnis zur Kenntnis.

„Vier Stunden in der Woche unterrichten? Ja, darfst du denn das so einfach?“

„Aber Mami – es ist doch nur ein Aushilfsjob. Wir fragen natürlich alle Mütter vorher, ob sie mit der Regelung für die Dauer von Frau Künzels Krankheit einverstanden sind. Es macht mir riesigen Spaß, glaub mir. Und wir können Frau Künzel doch jetzt nicht im Stich lassen.“

Mami lächelte.

„Nein, ich versteh euch schon. Ich würde es ja genauso machen.“

Klaus Funke machte ein langes Gesicht, als er von Katjas neuer Aufgabe hörte.

„Da habe ich mich wohl mal wieder zu früh gefreut", brummte er.

„Wieso?"

„Nun, ich habe mir gedacht, wir würden jetzt viel gemeinsam unternehmen. Vorhangstoff kaufen und so – wo wir doch nun schon nebeneinander wohnen. Und überhaupt . . ."

„Sei nicht albern! Das können wir doch trotzdem – am Samstag zum Beispiel. Wir fahren gleich vormittags in die Stadt, suchen einen schönen Stoff für dein Zimmer aus und kaufen gleich noch ein neues Poster. Das schenk ich dir, als Einzugsgeschenk!"

„Na schön. Spielst du noch eine Runde Tischtennis mit mir?"

„Jetzt? Ich muß noch Vokabeln pauken. Aber du kannst mich ja abhören, wenn du willst."

Janos der Große

Wie recht Klaus mit seinen Befürchtungen haben sollte, ahnte Katja zu diesem Zeitpunkt noch nicht. Als sie am nächsten Tag mit Petra in die Ballettschule kam, schien alles seinen normalen Gang zu gehen. Hinter den geschlossenen Türen zu den drei Unterrichtsräumen hörte man gedämpfte Musik und leise Kommandos. In dem einen gab Rico, der alternde Show-Star, wie immer seinen Step-Unterricht. Im zweiten hörte man Elfies Anfeuerungsrufe bei der Mütter-Gymnastik, und im großen Ballettsaal trainierten die zehn- und elfjährigen Mädchen zu einer abgespielten Tonbandaufnahme der „Nußknacker-Suite" – Ulrike leitete das Training.

Katja und Petra gingen in die Garderobe, um sich umzuziehen. Katja musterte die Freundin verstohlen von der Seite. Sie hat ganz schön zugenommen, seit dem letzten Sommer, dachte sie. Die früher so elfengleich zarte Petra war zu einem drallen, fröhlichen Bauernmädchen herangewachsen. Statt stundenlang zu trainieren, stand sie jetzt lieber in der Küche und probierte Spezialitäten aus dem Tiroler Kochbuch aus, das Stefan ihr zu Weihnachten geschenkt hatte.

Petra bemerkte Katjas Blick und lachte. Mit komischem Stöhnen rieb sie sich den Magen und sagte: „Ich weiß gar nicht, wie ich heute trainieren soll, so satt bin ich! Ich habe für Mutti und mich einen Kaiserschmarrn gebacken – du, besser macht ihn auch Tante Ullas Köchin Mathilde nicht."

„Vielleicht solltest du das Zauberbuch der feinen österreichischen Küche lieber mal für ein paar Wochen in den Schrank legen, und dich statt dessen von Salat und Gemüse ernähren."

„Ach, Unsinn. In den großen Ferien werde ich wieder den ganzen Tag reiten, außerdem gibt es soviel Arbeit auf dem Hof und in den Ställen, da nehme ich die überflüssigen Pfunde schnell ab."

„Was sagt eigentlich deine Mutter dazu, ist sie nicht entsetzt?"

„Die?" Petra lachte hell auf. „I wo. Die hat doch selbst ein paar Pfund zugenommen, seit ich koche."

Britta, Marlene und Anja kamen in die Garderobe und begannen, sich eilig umzuziehen. Auch Rico und Elfie machten Schluß mit dem Unterricht. Es wurde eng in dem kleinen Raum. Katja nahm ihre Schuhe und floh vor dem Ansturm in den Aufenthaltsraum.

„Wann unterrichtet denn nun unser großer Star zum erstenmal?" hörte sie Britta sagen.

„Wenn du Glück hast, heute", antwortete Marlene.

Daran hatte Katja gar nicht mehr gedacht. Janos Thöldy – sie hatte ihn einmal auf der Bühne der Staatsoper gesehen. Einfach phantastisch, wie der springen konnte! Und diese

„Du mußt die Haare zu einem Knoten stecken, dann siehst du wunderschön aus", meinte Janos lächelnd

Präzision bei den Drehungen – dabei hatte alles so leicht ausgesehen, als koste es ihn nicht die geringste Kraftanstrengung! Ob er eingebildet war? Nein, dann hätte er nicht so spontan zugesagt, für Frau Künzel einzuspringen. Aber streng, ungeduldig vielleicht . . .

Katja prüfte vor dem Spiegel den Sitz ihrer Spitzenschuhe. Dann kramte sie aus der Tasche ihres alten Frottee-Kittels einen Kamm und das Tuch, mit dem sie beim Training ihre kurzgeschnittene Lockenmähne bändigte.

„Du mußt dir die Haare wachsen lassen, das steht dir viel besser", sagte eine Männerstimme hinter ihr. Sie hatte ihn gar nicht hereinkommen sehen. „Siehst du, so – die Haare an den Seiten weiter ins Gesicht, und hinten zu einem Knoten zusammengesteckt. Du wirst wunderschön aussehen." Er nahm eine Strähne, legte sie so, wie er sich ihre Idealfrisur vorstellte und betrachtete prüfend ihr Spiegelbild.

Katja wagte sich nicht zu rühren.

Plötzlich ließ er sie los, lachte, streckte die Hand aus und sagte: „Tag. Ich bin Janos. Und du?"

„Eh – Katja. Katja Steinebach."

„Du bist noch nicht lange hier, nicht wahr? Ich habe dich noch nie gesehen. Ich kenne kaum noch jemanden . . ." sagte Janos, als müsse er sich entschuldigen.

„Du warst auch lange nicht hier." Katja überlegte fieberhaft, ob er beleidigt sein würde, wenn sie ihn duzte, als sei sie eine Kollegin. Aber er schien es ganz normal zu finden.

„Ja, du hast recht. Ich schäme mich."

Er lächelte spitzbübisch, ein bißchen erinnerte er sie an Markus. Er sah viel jünger aus als auf der Bühne. Unverschämt hübsch war er, fand Katja. Und er hatte die tollsten Augen, die sie je bei einem Mann gesehen hatte. Dabei war er nicht sehr groß, kaum einen halben Kopf größer als sie. Katja machte sich unwillkürlich ein bißchen kleiner.

„Laß dich nicht so hängen", sagte er grinsend und knuffte sie freundschaftlich in den Rücken.

Katja bemerkte erstaunt, daß sie Gänsehaut bekam, wenn er sprach. Seine Stimme hatte einen dunklen, aufregenden Klang, und er sprach mit leichtem Akzent. Ich sehe bestimmt aus wie eine Kuh, wenn's donnert, dachte Katja und zwang sich, ihn nicht mehr anzusehen.

„Komm, wir müssen anfangen." Janos nahm sie am Arm und zog sie zur Tür.

So eifrig wie heute waren die Mädchen noch nie beim Training gewesen. Jede versuchte, durch besonders gute Haltung Janos Thöldys Aufmerksamkeit auf sich zu lenken: durch ein besonders hochgestrecktes Bein, eine vollendete Armbewegung oder eine perfekte Pirouette.

Janos war ein ausgezeichneter und unbestechlicher Lehrer, und ganz offensichtlich hatte er sich seine Lehrmeisterin, Frau Künzel, zum Vorbild genommen. Seine Anweisungen kamen ruhig und bestimmt, seine Kritik war nie verletzend und traf immer ins Schwarze.

Zu Katja sagte er in einer kurzen Verschnaufpause leise: „Du bist sehr begabt, du hast im kleinen Finger mehr Ausdruckskraft als die anderen im ganzen Körper. Aber technisch fehlt dir noch viel, du solltest dein Trainingspensum verdoppeln. Dann kann einmal eine große Tänzerin aus dir werden."

Katja schlug das Herz bis in den Hals. Stimmte das alles, was er da eben von sich gegeben hatte? Sie erinnerte sich, daß auch Frau Künzel einmal die Bemerkung gemacht hatte, als sie über ihre Ungelenkigkeit besonders verzweifelt gewesen war: Du hast keinen Grund, traurig zu sein, Technik kann man sich erarbeiten! Aber du hast etwas, was man nicht lernen kann. Du verstehst es sehr gut, dein Herz und deinen Verstand in Körpersprache, in Ausdruck zu übersetzen. Das ist eine große Begabung.

In der zweiten Hälfte der Stunde arbeitete Katja so intensiv, daß ihr Gesicht naß von Schweiß war.

Janos verlangte viel von den Mädchen. Er schien zu vergessen, daß er es nicht mit einer Gruppe von Berufstänzern zu tun hatte, sondern mit Laien, Schülerinnen, die Ballett und Tanz als Hobby betrieben.

„Zweimal in der Woche werde ich Jazz-Tanz unterrichten", verkündete Janos nach der Stunde. „Wer von euch macht mit?"

Katja hob sofort die Hand. Zu ihrem Erstaunen rührte sich Petra als einzige nicht. Sie hatte sich auf den Boden sinken lassen und schnaufte erschöpft. Katja stubste sie mit der Fußspitze an.

„He, hast du nicht gehört?"

„Doch", brummte Petra. „Aber ohne mich. Die Strapaze heute reicht mir vollkommen."

Katja schüttelte mißbilligend den Kopf.

„Das verstehe ich nicht. So eine einmalige Chance . . ."

„Ich habe gar nicht gewußt, daß du Tänzerin werden willst", spottete Petra.

„Will ich ja auch nicht. Oder doch – ich weiß nicht. Vielleicht. Da muß ich mich doch jetzt noch nicht festlegen, oder?"

Katja verstand die Freundin nicht. Sie hatte doch früher so gern getanzt! Wo war Petras Begeisterung geblieben? Wir scheinen die Rollen getauscht zu haben, dachte Katja verwundert.

Inga, Britta und Ulrike umringten Janos und erzählten ihm von ihrer Idee, für Frau Künzel einen Tanzabend zu veranstalten. Janos klatschte in die Hände.

„Kinder, hört mal her. Ich habe da eben von eurem Plan gehört und finde ihn ganz toll. Wir müssen in Ruhe darüber sprechen. Heute und morgen habe ich keine Zeit, ich muß hier unterrichten und anschließend gleich ins Theater. Aber Samstag vormittag hätte ich Zeit. Wie steht es da mit euch?"

Die Mädchen stimmten dem Vorschlag eifrig zu.

„Gut. Dann treffen wir uns Samstag vormittag um zehn Uhr hier im Aufenthaltsraum und planen die Aufführung. Ich glaube, ich kann euch ein paar gute Vorschläge machen."

„Und wirst du die Choreographie übernehmen?" fragte Katja gespannt.

„Selbstverständlich. So habe ich endlich mal Gelegenheit, mich bei meiner Lehrerin zu bedanken. Nur selber tanzen werde ich nicht, es soll euer Abend sein. Überlegt schon mal, wo wir einen geeigneten Saal mit einer Bühne herbekommen."

Elfie Krüger erschien auf der Bildfläche, ihr folgte ein junger Mann mit dünnem Backenbart und Brille.

„Das ist Herr Grosse von der ‚Abendpost'", stellte Elfie vor.

„Er will etwas über den Unfall von Frau Künzel schreiben und über unseren Versuch, die Schule ohne Frau Künzel weiterzuführen. Er wird sich ein bißchen mit euch unterhalten."

Herr Grosse begrüßte Janos und überschüttete ihn sofort mit Fragen.

„Sogar die Zeitungen schreiben über uns", flüsterte Inga, „Kinder, wenn wir so weitermachen, wird die Schule bei Frau Künzels Rückkehr größer und bekannter sein als je zuvor!"

„Nun, bis dahin liegt noch ein schönes Stück Arbeit vor uns. Ich gehe jetzt zu meiner Kinder-Turnstunde. Und deine Schützlinge warten auch schon, Petra", mahnte Ulrike. Sie und Inga standen bereits in der Berufsausbildung zur Tänzerin und hatten deshalb die meisten Stunden übernommen. Vor allem den Vormittagsunterricht, wenn die zukünftigen Bühnen-Tänzerinnen und -Tänzer die Räume der Schule bevölkerten.

Rico, ein schlanker älterer Herr mit grauen Schläfen, kam mit einem Privatschüler – einem aufsteigenden Schlager-Star – aus einem der Unterrichtsräume. Sein unnatürlich sonnengebräuntes Gesicht strahlte Zuversicht aus. Rico erspähte mit sicherem Instinkt den Zeitungsmann und stürzte sich auf ihn, um ihm von seiner großmütigen Hilfe für die Künzel-Schule, von seinen Fähigkeiten als Lehrer künftiger Show-Größen und vor allem von seinen einstigen Bühnenerfolgen vorzuschwärmen. Das war für die meisten Mädchen das Signal, sich schleunigst zu verdrücken.

Petra stand bereits in der Tür zum Ballettsaal, wo die Sechs- und Siebenjährigen auf sie warteten.

„Gehst du nach Hause?" fragte sie Katja.

Katja schüttelte den Kopf.

„Der kleine Unterrichtsraum ist jetzt frei. Ich werde noch ein bißchen trainieren."

Petra verzog das Gesicht.

„Janos' goldene Worte sind also auf fruchtbaren Boden gefallen. Na denn – viel Spaß!"

Erst zum Abendbrot kam Katja nach Hause. Als sie die Haustür aufschloß, öffnete sich im Nachbarhaus ein Fenster.

„Sag bloß, du hast den ganzen Nachmittag in der blöden Ballettschule gehockt!" rief Klaus zu ihr herüber.

„Was dagegen?"

„Ich – ich hatte dich zum Tee einladen wollen. Luischen hat frische Krapfen gebacken."

„Konnte ich doch nicht wissen, oder?"

„Nee."

„Noch welche übrig?"

„Was?"

„Krapfen."

„Ach so. Ja."

„Dann kann ich doch bei dir nach dem Abendbrot meine Hausaufgaben machen. Und wir spielen eine Runde."

„Okay – bis dann."

Verdammt! dachte Katja. Ich habe ganz vergessen, daß ich Samstag mit Klaus verabredet bin. Jetzt muß ich ihm schonend beibringen, daß wir die Besprechung für den Tanzabend haben. Aber Frau Künzel geht schließlich vor. Wenn Janos schon seine Zeit opfert.

Was ist bloß mit Katja los?

Auf der Besprechung für den geplanten Tanzabend ging es hoch her. Jedes der Mädchen hatte sich eine eigene Vorstellung gemacht von dem, was aufgeführt werden sollte – und jede hoffte insgeheim auf eine Hauptrolle. So stritt man hin und her. Sollte ein ganzes Ballett aufgeführt werden? Oder lieber einzelne Nummern, dem unterschiedlichen Können der verschiedenen Gruppen angepaßt? Sollten nur die besten Schülerinnen und Schüler auftreten oder möglichst viele?

Großes Schneider-Buch-Preisrätsel!
400 Bücher zu gewinnen!

Lieber Schneider-Buch-Leser!
Schicke mir diese Karte mit der richtigen Lösung und du nimmst an der nächsten monatlichen Verlosung teil. 400 Schneider-Bücher werden jeden Monat verlost! Es werden nur ausreichend frankierte Rätselkarten angenommen. Benachrichtigt werden nur die Gewinner. Der Rechtsweg ist ausgeschlossen. Die Beteiligung ist nicht an den Kauf eines Schneider-Buches gebunden. Du bekommst die Karten auch lose in deinem Buchgeschäft.
Viel Spaß und herzliche Grüße Dein Franz Schneider

PS.: Diese Rätselkarte ist nur gültig für die monatliche Verlosung von 400 Schneider-Büchern. Diese Rätselkarte ist **nicht** gültig für die Aktion „Ein Schneider-Buch für fünf Rätselkarten".

Postkarte

Franz Schneider
von den Schneider-Büchern

8000 München 100

Postkarten-Porto

Schneider-Buch-Preisrätsel

400 Bücher zu gewinnen!

Hier abtrennen

275/Als Geschmacksmuster geschützt.

Name: ______________________________

Straße: ______________________________

Postleitzahl: __________ Ort: ______________________________

Achtung:
Absender nicht vergessen!
Nur mit Schreibmaschine
oder mit Kugelschreiber in
Blockbuchstaben ausfüllen!

Ich bin ________ Jahre alt.
Ich bin ☐ ein Junge
Ich bin ☐ ein Mädchen

Welcher Titel gehört zu dem hier abgebildeten Titelbild?

Den richtigen Titel bitte ankreuzen.

☐ Berte Bratt
Mein großer Bruder

☐ Gitta v. Cetto
Salli – Tage des Glücks

☐ Tulla Hagström
Überraschung auf dem Reiterhof

☐ Elisabeth Pahnke
Britta sattelt um

Janos Thöldy hatte einen jungen Komponisten mitgebracht, der auch an der Staatsoper arbeitete. Die beiden Männer hatten sich die wilde Diskussion der Mädchen eine Weile schweigend angehört.

„Jetzt will ich euch sagen, was ich mir vorgestellt habe“, sagte Janos plötzlich. „Ich glaube, es wäre falsch, eines der großen, bekannten Ballette aufführen zu wollen. Jeder im Publikum kennt diese Stücke von Profi-Aufführungen her, der Vergleich würde für euch nur ungünstig ausfallen. Um Mängel und Schwächen auszugleichen, ist es immer das beste, etwas Humorvolles zu wählen, eine witzige Handlung mit viel Schwung und Tempo. Peter und ich haben uns etwas ausgedacht für euch. Los, erzähl mal, Peter!“

„Ja . . .“, Peter Olzhausen, der Komponist, rückte seine Brille zurecht und fuhr mit der Hand durch seine Beethovenmähne, „wir sind davon ausgegangen, daß möglichst viele Schüler der Schule auftreten sollten . . .“

„Um auf ihre Vielseitigkeit aufmerksam zu machen, meinst du“, warf Inga ein.

„Ja – ehem – ja, und um sich mit der Aktion solidarisch zu zeigen. Also, wir haben uns gedacht, eine Rahmenhandlung wäre sehr gut. Und dazwischen haben die unterschiedlichsten Nummern Platz, von einfacher Tanzgymnastik über Turnen, Step und Pantomime bis hin zum Jazz-Tanz und Nationaltänzen und schließlich zum klassischen Ballett.“

„Du lieber Himmel, wie wollt ihr das alles unter einen Hut bringen?“ rief Ulrike aus.

„Ganz einfach. Unsere Geschichte heißt ‚Das Reisebüro zum bunten Schuh‘ oder ‚zum fliegenden Schuh‘ oder so ähnlich. Über den Titel können wir uns noch streiten. Jedenfalls spielt das Ganze in einem Reisebüro, in das die verschiedensten Typen kommen, um eine Reise zu buchen. Am Anfang hätten wir also eine Pantomime. Wildes Verhandeln zwischen anspruchsvollen Kunden und diensteifrigem Personal, das seine

Vorschläge unterbreitet. Die Bühne muß mit den verschiedensten Reiseplakaten dekoriert sein. Und jedesmal, wenn einer der Angestellten ein Land – oder eine Stadt – empfiehlt, springen im Tanz Vertreter dieses Landes auf die Bühne . . ."

„Ja, und wenn's geht: durch das Plakat hindurch", warf Janos ein.

„Au ja, das knallt so schön, wenn man durch Papier springt, ich hab das mal im Zirkus gesehen", sagte Britta begeistert.

„. . . springen also auf die Bühne und legen einen Tanz ein. Das gibt uns die Möglichkeit, die verschiedensten Dinge durcheinanderzuwürfeln. Wir können bekannte Musikstücke verwenden, Schlager, Jazz, Nationaltänze und auch Klassisches."

„Klassisch? Wie denn das?" fragte Petra zweifelnd.

„Nun, zum Beispiel – ein Reisender möchte nach Wien. Ein anderer Kunde hört das und fängt an, von Wien zu schwärmen, von der Oper, von den Sehenswürdigkeiten. Lichtwechsel – Übergang zu einer Ballettszene. Der andere widerspricht ihm, ihn interessiert an Wien viel mehr der Prater, der Heurige. Wieder eine Tanzszene, diesmal komisch, nach einem bekannten Wiener Lied oder einer Filmmusik. Und auf diese Art können wir alles servieren, was wir wollen. Die Musik für die Rahmenhandlung würde ich euch schreiben."

Katja hatte mit angehaltenem Atem zugehört.

„Kinder, ich finde die Idee ganz große Klasse!" platzte sie jetzt heraus. „Ich kann's kaum erwarten, bis wir mit den Proben anfangen!"

„Und ich weiß auch schon, was du sein wirst", meinte Janos schmunzelnd. „Es ist mir gestern abend vorm Einschlafen eingefallen.

„Erzähl!" Katja konnte nicht verhindern, daß ihr Herz wie wild zu klopfen begann. Janos hatte vorm Einschlafen an sie gedacht! Von all den vielen Mädchen, die er beim Training beobachtet hatte, ausgerechnet an sie!

„Kannst du komisch sein?“ fragte Janos und schaute sie von der Seite an.

Katja schluckte. So war das also. Sie sollte mal wieder die komische Figur abgeben!

„Und wie komisch sie sein kann!“ antwortete Petra für die Freundin.

„Ich habe dir nämlich eine Doppelrolle zugedacht“, erklärte Janos. „Zuerst bist du eine komische, etwas gehemmte, ältliche Angestellte. Du willst einen unentschlossenen Kunden dazu überreden, nach Spanien zu fahren. Er hat keine Lust, erklärt, was ihm an Spanien nicht gefällt. Du willst ihn aber unbedingt überreden, drückst ihn auf einen Stuhl, gestikulierst, daß du noch weitere, viel bessere Prospekte holen willst, und rennst hinter die Bühne. Ziehst dich blitzschnell um, wahrscheinlich mußt du das zweite Kostüm schon drunter haben, Brille und Pappnase ab, Perücke auf – und dann kommst du als wunderschöne Spanierin und zeigst einen tollen spanischen Tanz. Na, wie gefällt dir das?“

Katja konnte nur stumm und hingerissen nicken. Die anderen spürten leisen Neid in sich aufsteigen und hofften inständig, daß Janos ähnliche Nummern für sie parat habe. Und sie wurden nicht enttäuscht. Während der nächsten beiden Stunden entwarf Janos gemeinsam mit den Mädchen ein Programm, in dem jede zeigen konnte, was in ihr steckte. Den jüngeren aus den Kinderturngruppen und den ganz kleinen Ballettratten fielen Statistenrollen zu, von denen es eine Menge geben würde.

Peter Olzhausen setzte sich ans Klavier und deutete mit ein paar Takten die in Frage kommenden Musikstücke an. Katja fühlte sich wie im siebten Himmel, zum erstenmal in ihrem Leben wünschte sie sich, an einem richtigen Theater zu sein, Tag für Tag diese Atmosphäre um sich zu haben, Musik, den Geruch des Ballettsaals . . .

*

„Was ’n mit dir los?“ fragte Celia spöttisch, als Katja beim Abendbrot gedankenverloren Salz statt auf die Spiegeleier in ihre Kakaotasse streute.

„Hä?“ machte Katja. Sie hatte gerade in Gedanken ein hinreißendes Pas de deux mit Janos getanzt, Schwanensee, letzter Akt.

Die Zwillinge warteten atemlos vor Spannung darauf, daß Katja von ihrem Kakao trinken würde. Aber wenn sie erwartet hatten, Katja würde sich vor Ekel schütteln, so wurden sie enttäuscht. Katja trank die Tasse leer, ohne eine Miene zu verziehen. Sie bemerkte nicht einmal, daß etwas nicht stimmte. Unter dem Tisch begannen ihre Füße, den Takt eines Flamencos zu klopfen.

Mami verzog spöttisch den Mund.

„Sag mal, das wird doch hoffentlich nicht schlimmer mit dir?“

„Wie bitte?“

„Ach nichts“, Mami schmunzelte.

„Darf ich schon mal in mein Zimmer gehen? Ich muß noch Hausaufgaben machen.“

„Heute, am Samstag? Na schön, geh. Celia kann mir helfen, den Tisch abzudecken.“

Jamtatatatatam-Tatatam-Tatatata . . . Katja tänzelte nach draußen. Markus und Fips sahen ihr mit offenen Mündern nach.

Draußen stieß sie mit Papi zusammen, der gerade das Haus betrat. Sie gab ihm einen flüchtigen Kuß und tanzte an ihm vorbei. Papi sah ihr kopfschüttelnd nach. Katja hatte ihn kaum wahrgenommen. Sie ging in ihr Zimmer, breitete ihre Schulbücher und Hefte vor sich aus und versank sofort wieder in tiefe Träume. Der englische Hausaufsatz, das Kapitel Geographie, das Hölderlin-Gedicht, die Matheaufgaben, die seit drei Tagen darauf warteten, erledigt zu werden, schwammen auf regenbogenbunten Wolken davon und lösten sich in

Nichts auf. Die Luft war voller Musik, voller kreisender, schwingender Bewegung. Und aus diesen flimmernden Kreisen lösten sich zwei Punkte, kamen näher, schwebten heran und wurden größer: graublau, umkränzt von langen Wimpern. Janos' Augen.

Einem plötzlichen Einfall folgend, sprang Katja auf und begann, in ihrem Bücherschrank zu wühlen. Irgendwo mußte es doch sein! Ja, richtig, dort hinter dem Opernführer! Das Programm des Ballettabends, den sie im vergangenen Jahr mit Petra und ihrer Mutter besucht hatte. Katja zog es vorsichtig wie einen kostbaren Schatz heraus und öffnete es. Da – gleich auf der zweiten Seite. Ein großes Foto von Janos Thöldy! Er sah ihr in die Augen und lachte.

Katja holte ihre Papierschere aus dem Schreibtisch-Schubfach und schnitt das Foto aus. Wohin damit? Wenn sie es sich neben das Bett an die Wand hing, würden die anderen nur blöde Bemerkungen machen. Als Lesezeichen ins Buch – ja, das ging, es fiel nicht weiter auf, und sie konnte es jederzeit anschauen. Janos! Katja strich vorsichtig mit der Fingerspitze über das Gesicht auf dem Foto.

Auf dem Flur vor ihrer Tür spielten die Zwillinge lautstark Düsenjäger und stritten sich, ob es „Flugfeld" oder „Flugplatz" heißen müsse.

„Flugfeld heißt's doch nur, wenn die Flugzeuge auf dem Acker oder auf 'ner Wiese landen müssen", belehrte Markus den Bruder.

„Und Flugplatz?"

„Wenn's ein richtiger Platz aus Teer ist – so wie unsere Straße."

„So – und was ist dann ein Flughafen?" fragte Celia lauernd.

„Für die Flugzeuge, die aus Versehen im Wasser gelandet sind. Ist doch klar!" Markus war nicht aus der Fassung zu bringen. Mit lautem Geheul kündigte er den Start eines Düsenjägers an, dann wurde es einen Augenblick still. Man hörte ihn

Janos mit seinen strahlenden graublauen Augen! Zärtlich blickte Katja auf das Foto

mit Fips flüstern, es raschelte und prustete, dann folgte ein neuer Start und gleich darauf ein ohrenbetäubender Knall.

„Was war denn das?" schrie Mami entsetzt.

„Ich habe die Schallgrenze durchstoßen", jubelte Markus.

„Und ich geh gleich mit dem Kopf durch die Decke, wenn hier nicht Ruhe ist", brüllte Papi aus dem Wohnzimmer.

Jetzt konnte es sich nur noch um Sekunden handeln ...

Richtig.

„Katja – bring die Zwillinge ins Bett, sei so lieb!" rief Mami aus der Küche.

Katja erhob sich seufzend. Sie gab dem Foto von Janos einen flüchtigen Kuß und errötete dabei, als hätte ihr jemand zugeschaut. Ich glaube, ich spinne, dachte sie ärgerlich. Aber bei dem Gedanken an Janos war es ihr, als hätte sie ein ganzes Ameisennest im Bauch.

Besuch im Krankenhaus

„Ich bin überrascht. Eine so schlechte Arbeit hätte ich von dir nie erwartet, Katja", sagte Frau Sommer, die Englischlehrerin, echte Besorgnis in der Stimme. „Was ist mit dir los? Geht es dir nicht gut? Hast du Probleme? Ich kann es mir nicht erklären ..."

Katja biß sich auf die Lippen und schüttelte stumm den Kopf. Wie hatte es nur so weit kommen können! Sie hatte in letzter Zeit die Schule so vernachlässigt, daß sie bereits den zweiten Fünfer geschrieben hatte, und diesmal in Englisch – ihrem besten Fach!

Es konnte wirklich nicht so weitergehen! Am Ende fiel es Mami und Papi noch ein, ihr die Ballettschule zu verbieten, und das wäre wirklich das Schlimmste gewesen, was ihr jetzt passieren konnte.

Petra schob ihr grinsend einen Zettel hin. „Eine Fünf in Englisch? Janos macht's möglich!" stand darauf. Während Frau Sommer sich der Tafel zuwandte, streckte Katja der Freundin die Zunge heraus.

Katja beschloß, zu Hause gleich einmal mit Klaus Funke zu reden. Er mußte ihr doch helfen können, vielleicht konnte er ihr sogar die eine oder andere Arbeit für die Schule abnehmen, wenigstens aber würde er abends mit ihr pauken können. Er war ein guter Kumpel und würde sie sicher nicht im Stich lassen. Sie brauchte nun einmal all ihre Freizeit für die Proben und für das Training, das würde er gewiß einsehen. Für den Rest der Stunde bemühte sie sich, alle anderen Gedanken beiseite zu schieben und aufmerksam dem Unterricht zu folgen.

Seit Frau Künzels Unfall waren fast vier Wochen vergangen. Katja verbrachte ihre Nachmittage ausschließlich in der Ballettschule beim Training, beim Unterrichten oder Proben. Mami nahm es schweigend hin, wenn sie Katja auch manchmal auf eine merkwürdige Art prüfend betrachtete. Aber sie sagte sich wohl, daß nach Frau Künzels Rückkehr in die Schule alles wieder anders werden würde. Klaus stichelte zwar, war aber immer für sie da, wenn sie ihn brauchte. In der Zwischenzeit hatte er stillschweigend ihren Platz zu Hause eingenommen. Er saß bei Mami in der Küche oder auf der Veranda, unterhielt sich mit ihr oder half ihr bei der Hausarbeit, er spielte mit den Zwillingen, reparierte ihr Spielzeug, kümmerte sich um ihre Hausaufgaben und machte sich unentbehrlich.

Luischen und Mami hatten sich angefreundet. Sie halfen sich gegenseitig bei der Gartenarbeit, tauschten Rezepte aus, oder spielten Scrabble oder Offiziers-Skat. Letzteres hatte Luischen Mami beigebracht. Die Funkes und die Steinebachs schienen zu einer glücklichen Gemeinschaft geworden zu sein, die einzige, die nicht mehr dazuzugehören schien, war Katja. Sie fühlte sich in der vertrauten Umgebung wie eine Fremde, ging durchs

Haus wie eine Schlafwandlerin, in Gedanken ständig im Ballettsaal.

„Kinder, ich habe eine gute Neuigkeit", begrüßte Elfie die Mädchen an diesem Nachmittag. „Frau Künzel geht es endlich besser, wir dürfen sie besuchen, natürlich nicht zu viele auf einmal, ich schlage vor, wir losen. Das erstemal werde ich gehen und zwei von euch, das zweitemal Janos und zwei andere von euch – und so weiter. Wir stellen eine Liste der Reihenfolge auf."

Katja hoffte inständig, daß sie das Glück haben würde, gemeinsam mit Janos ins Krankenhaus zu gehen. Aber es kam anders. Sie sollte bei den ersten sein, die Frau Künzel besuchen durften. Einen Augenblick ärgerte sie sich fast, daß sie deshalb eine Trainingsstunde bei Janos versäumen würde, schämte sich aber sofort dieses Gedankens.

„Ich glaube es ist am besten, wenn wir uns vor dem Krankenhaus treffen", meinte Elfie, „morgen um drei Uhr – ist euch das recht?"

Außer Elfie und Katja ging Kathrin mit, eine von den kleineren aus dem Kurs der Zehn- bis Zwölfjährigen. Sie war seit ihrem fünften Lebensjahr Schülerin von Frau Künzel und glühte vor Stolz, daß das Los auf sie gefallen war.

„Was wollen wir ihr mitbringen?" fragte sie eifrig. „Blumen? Oder Schokolade?"

„Wäre es nicht das beste, wir sammelten – für einen großen Blumenstrauß, den wir drei dann im Namen aller anderen überreichen?" meinte Katja. „Ihr wißt doch, daß Frau Künzel Blumen über alles liebt. Und ich finde das schöner, als wenn jede von uns mit einem kleinen, mickrigen Strauß ankommt."

„Du hast recht. Einen riesigen bunten Frühlingsstrauß! Was haltet ihr davon?" Elfie schaute in die Runde.

Die Mädchen stimmten begeistert zu. Ulrike zog übermütig ihren Spitzenschuh aus, kramte ein Zweimarkstück aus ihrer Tasche und steckte es in den Schuh. Dann hielt sie ihn den anderen hin. Bald purzelten die Geldstücke über den Rand, so prall war er gefüllt. Katja und Petra bekamen den Auftrag, den Strauß zu besorgen.

Hoffentlich haben sie im Krankenhaus eine große Vase, dachte Katja, als sie am nächsten Tag einen in Seidenpapier gehüllten Riesenstrauß aus Tulpen, Narzissen, Iris und Mandelblütenzweigen wie ein Wickelkind vor sich hertrug. Ein Glück, daß sie die Blumen in der Nähe des Krankenhauses gekauft hatte, nicht auszudenken, wenn sie mit diesem Ungetüm in den überfüllten Bus hätte steigen müssen!

Elfie und Kathrin warteten schon am Eingang, als Katja die Auffahrt heraufkam. Elfie, deren Eltern eine Konditorei besaßen, trug einen Baumkuchen in einer Cellophanschachtel im Arm, den ihr Vater extra für Frau Künzel gebacken hatte. Kathrinchen war blaß unter ihrer rotgoldenen Wuschelmähne, ihr war die Krankenhausatmosphäre unheimlich. Diese ernsten, bleichen Gestalten, die in Bademänteln und Morgenröcken, Pantoffeln an den Füßen, durch die Flure schlurften, der Geruch nach Äther, die fahrbaren Krankenbetten, die an den Wänden herumstanden, aufflammende Lichter über den Türen, weißbekittelte Schwestern und Pfleger und diese nicht endenwollenden Gänge und Treppen. Kathrin wünschte sehnsüchtig, sie hätte den Besuch schon hinter sich und stände wieder draußen in der Sonne.

„Zimmer vierhundertelf – hier ist es!“

Elfie klopfte vorsichtig an. Als nach einem zweiten Klopfen niemand antwortete, öffnete sie die Tür einen Spalt und entdeckte, daß sie vor einer zweiten, dick gepolsterten Tür standen.

„Geht nur hinein“, ermunterte sie eine Schwester, die hinter ihnen den Flur entlanglief.

Elfie öffnete die Tür vorsichtig und schob sich ins Zimmer. Ihr folgte Kathrin, das Schlußlicht bildete Katja mit dem gewaltigen Frühlingsstrauß, der ihr jede Sicht nahm.

„Ah – wie schön, daß ihr mich besuchen kommt!" Die Stimme, die vom Bett herkam, klang leise und krächzend und überhaupt nicht nach Frau Künzel.

Katja ließ den Blumenstrauß sinken und schaute zu dem von Flaschen, Schläuchen und Behältern umgebenen weißen Gestell. Ihr Blick blieb wie gebannt an einem großen Glasbehälter hängen, aus dem eine blasse Flüssigkeit in einen Schlauch tropfte, und folgte dem Schlauch, der an einem weißen, mageren Arm in eine Nadel einmündete, wanderte dann den Arm hinauf zu einem blassen schmalen Gesicht, das zwischen den Kissen fast verschwand. War das Frau Künzel, die geliebte, bewunderte Lehrerin? Unmöglich!

Aber dann traf Katjas Blick den von Frau Künzel, ihre gütigen, humorvollen Augen. Und diese Augen lachten, machten sich über alles lustig, die Verbände, die Glasbehälter und Schläuche, sie schienen zu sagen: schlimm, was man hier mit mir anstellt, wie? Aber auch das wird vorübergehen. Und Katja hielt sich an diesem Blick fest, überwand den Schrecken, der sie für einen Augenblick gelähmt hatte, und konnte nun selbst wieder lächeln.

„Wir haben Ihnen einen kleinen Blumenstrauß mitgebracht – mit herzlichsten Grüßen der ganzen Schule. Wir alle wünschen Ihnen, daß Sie schnell gesund werden und bald wieder bei uns sein können!" Unwillkürlich machte sie dann einen kleinen Knicks – wie damals als kleines Mädchen, als sie dem Großvater ein Gedicht zum siebzigsten Geburtstag aufsagen mußte.

„Wie schön!" flüsterte Frau Künzel. „Ihr habt ja draußen den ganzen Frühling für mich eingesammelt! Komm ein bißchen näher damit!"

Katja trat dicht ans Bett, ängstlich besorgt, nicht an einem der Schläuche hängenzubleiben. Frau Künzels Augen leuchteten, ihre Hände tasteten nach den Blumen, mit den Fingerspitzen streichelte sie die Blüten. Katja fühlte einen Kloß in der Kehle.

„Ich werde mich mal um eine Vase kümmern", sagte sie schnell und legte den Strauß auf die Bettdecke.

Draußen im Gang mußte sie erst einmal tief Luft holen. So schlimm hatte sie sich diese Begegnung nicht vorgestellt. Ob Frau Künzel je wieder richtig gesund werden würde? Katja mußte an ihren eigenen Krankenhausaufenthalt denken, damals nach dem Busunfall, und an die Sorgen, die sie sich um die schwerverletzte Petra gemacht hatte. Aber was war das schon im Vergleich zu dem, was Frau Künzel jetzt durchmachen mußte.

Kaum einen Gedanken habe ich für sie gehabt, dachte Katja voller Scham. Ich hätte ihr schreiben können, ihr Blumen schicken, aber nein – ich habe nur an meinen Spaß gedacht: die Proben für die Aufführung, das Unterrichten, die Zusammenarbeit mit Janos. Und dabei bin ich mir noch so großartig vorgekommen, daß ich Frau Künzel helfe und meine Zeit für sie opfere!

„Suchst du jemanden?" fragte eine ältere Schwester, die aus einem der Krankenzimmer trat.

„Nein, eh – vielmehr ja, ich wollte sie um eine große Blumenvase bitten, wir haben Frau Künzel einen Strauß mitgebracht. Einen ziemlich gewaltigen, ehrlich gesagt."

Die Schwester lächelte.

„Komm mit, wir schauen mal gemeinsam."

In der Teeküche standen bereits die Tabletts für das Abendbrot bereit. Die Schwester trat an einen Wandschrank und zog die Schiebetür auf. Dort standen Vasen in allen Größen.

„Die dort hinten wäre richtig, glaube ich."

Katja stellte sich auf die Zehenspitzen und angelte nach einem bauchigen Glaskrug. Vorsichtig hob sie ihn heraus. Dann wandte sie sich zu der Schwester um.

„Sagen Sie – Frau Künzel, wie geht . . . ich meine, wird sie wieder gesund werden? Sie sieht so schrecklich verändert aus!" stotterte sie.

Die Schwester zögerte einen Augenblick mit der Antwort.

„Mach dir keine Sorgen“, sagte sie dann fest. „Ich bin sicher, daß sie es schafft. Sie ist ein wundervoller Mensch, mutig, geduldig, humorvoll – und sie hat einen eisernen Willen. Ihr könnt stolz sein, eine solche Lehrerin zu haben. Und außerdem – ihr habt ihr sehr geholfen. Seit sie weiß, daß die Schule durch euren Einsatz weiterläuft, hat sie den festen Vorsatz, bald dorthin zurückzukehren. Ihr habt ihr sehr damit geholfen.“

„Ach“, Katja zog die Schultern hoch, „das ist doch nichts Besonderes. Uns macht das doch riesigen Spaß.“

„Ja siehst du“, die Schwester klopfte ihr freundschaftlich auf die Schulter, „es ist ein Irrtum, wenn man glaubt, ein Opfer dürfe keinen Spaß machen, sonst wäre es kein echtes Opfer. Das Gegenteil ist richtig. Laßt Frau Künzel fühlen, wieviel Spaß ihr bei eurer Arbeit in der Schule habt, und euer Spaß wird ansteckend auf sie wirken und ihr immer mehr Kraft zum Gesundwerden geben.“

Als Katja ins Krankenzimmer zurückkehrte, fand sie den Anblick der Schläuche nur noch halb so schlimm. Und nach einer Weile hatte sie sie ganz vergessen. Gemeinsam mit Elfie versorgte sie die Blumen, schnitt die Stiele schräg ab, wie sie das von Mami gelernt hatte, und rückte den prall gefüllten Krug so, daß Frau Künzel ihn ständig im Blick hatte. Dabei erzählten die drei Mädchen abwechselnd, was immer ihnen an Erlebnissen aus der Schule einfiel. Sogar Kathrinchen hatte ihre Scheu verloren und redete munter drauflos, bis die Schwester erschien und zum Aufbruch mahnte.

Frau Künzel sah erschöpft aus, aber auch lebendiger, als vorhin bei der Begrüßung, fand Katja.

„Lebt wohl, Kinder“, sagte sie, „ich freue mich schon auf den nächsten Besuch. Und wenn ihr Fragen oder Probleme habt – ab sofort könnt ihr wieder jederzeit zu mir kommen.“

„Das hätte mir gerade noch gefehlt“, brummte die Schwester. Aber als Katja sie ansah, zwinkerte sie ihr ermutigend zu.

Klaus Funke ist sauer

„Weißt du, daß es jetzt genau vier Wochen her ist, seit du mir versprochen hast, mit mir in die Stadt zu fahren?" maulte Klaus und überreichte Katja mit Leidensmiene eine französische Übersetzung, die er für sie gemacht hatte.

Katja nahm das Heft schnell an sich.

„Du bist ein Schatz! Bestimmt kein Fehler drin?"

„Ich hab getan was ich konnte. Was ist nun mit unserer Fahrt?"

„Was ist?"

„Unsere Fahrt in die Stadt, was ist damit? Wir wollten doch zusammen Vorhangstoff kaufen. Ich hab's allmählich satt, immer auf die kahlen Fenster zu starren."

Katja überlegte blitzschnell. Es wurde wirklich Zeit, daß sie etwas für ihn tat, in den vergangenen Wochen hatte sie ihn nur ausgenutzt.

„Vier Wochen sagst du? So lange schon? Pfui über mich und Schmutz und kleine Steine, ich bin ein Ekel und bekenne, daß ich Strafe verdient habe!" Katja machte ein schuldbewußtes Gesicht. „Also – wann fahren wir? Du darfst bestimmen."

„Heißt das, du willst wirklich ein paar deiner kostbaren Stunden opfern?" fragte Klaus ironisch.

„Aber ja doch, wenn ich es sage!"

Klaus strahlte wie ein sonniger Frühlingsmorgen nach wochenlangem Regenwetter.

„Am Samstag? Wir könnten erst unsere Einkäufe machen und danach vielleicht ins Kino gehen?"

„Okay – einverstanden."

„Soll ich dir jetzt noch bei den Matheaufgaben helfen?"

„Das wäre prima, ja!"

Am Samstag hatte Katja keine Probe. Andernfalls hätte sie sich wohl auch kaum entschließen können, den ganzen Tag mit Klaus zu verbringen. Sonnenschein und sommerliche Wärme trugen dazu bei, Katja in gönnerhafte Stimmung zu versetzen.

Mami fuhr sie zur S-Bahn-Station, die fünf Kilometer entfernt im nächsten Ort lag. Sie hatte Katja schnell noch einen Zettel und Geld zugesteckt. „Nur ein paar Kleinigkeiten, die du mir mitbringen könntest", hatte sie gesagt und die Worte auf dem Zettel möglichst klein geschrieben, damit es nicht nach so viel aussah.

„Hast du das Fenster ausgemessen?" fragte Katja, als sie im Zug saßen.

„Klar, und auch den Sessel und die Couch. Luischen hat mir genug Geld mitgegeben, um Stoff für das ganze Haus zu kaufen. Ich weiß auch nicht, was sie so großzügig gemacht hat. Na, mir kann's nur recht sein."

Ihnen gegenüber nahm ein älteres Ehepaar Platz, das in einem Einkaufskorb einen überfütterten Dackel bei sich trug. Sobald die beiden sich in ihre mitgebrachten Zeitungen vertieften, fixierte Klaus den Köter scharf, rollte mit den Augen und fletschte die Zähne. Der Dackel knurrte böse.

„Ruhig, Waldi!" sagte die Frau und gab dem Dackel einen leichten Klaps, ohne von ihrer Zeitung aufzublicken.

Rrrrrr – machte Klaus leise und fletschte die Zähne noch stärker. Katja mußte kichern.

Wauuuuuuoooouuu, kläffte der Dackel wütend los.

„Pfui Waldi – wirst du wohl! Er ist sonst so brav!" sagte die Frau erschrocken zu Klaus.

Klaus lächelte liebenswürdig und verständnisvoll. Die Frau versenkte sich wieder in ihre Lektüre.

Diesmal schielte Klaus den Dackel an und schob die Zähne so über die Unterlippe, daß er aussah wie ein Vampir.

Wuffwuffwuffwuff! Der Dackel versuchte sich auf Klaus zu stürzen. Katja bekam einen Hustenanfall.

„Was hat er nur?“ fragte die Frau ängstlich. „Das hat er noch nie gemacht! Ganz ein Böser bist du, pfui, böser Hund!“

Waldi wollte sich nicht beruhigen. Die übrigen Fahrgäste sahen verärgert herüber. Man begann allgemein ein Streitgespräch über Hunde in S-Bahn-Zügen. Parteien für und gegen die Dackelbesitzer formierten sich, je lebhafter sich die Leute unterhielten, desto lebhafter bellte auch Waldi. Katja kämpfte mit einem Lachkrampf.

Die nächste Station kam, und die Dackelbesitzer verließen fluchtartig das Abteil. Eine junge Dame mit einem offensichtlich frisch gebadeten Pudel – schneeweiß und mit perlenverziertem lila Halsband – stieg ein. Verwirrt nahm sie zur Kenntnis, daß ihr von einem Teil der Fahrgäste lebhafte Sympathie entgegenschlug, von der anderen unverhohlene Ablehnung.

Katja stieß Klaus in die Rippen.

„Da hast du ja was angerichtet“, flüsterte sie.

„Ich wollte nur vermeiden, daß du dich auf der Fahrt langweilst“, flüsterte er zurück. „Komm, wir müssen aussteigen.“

Eine Weile ließen sie sich von dem dichten Menschenstrom, der durch die Geschäftsstraßen wogte, ziellos hin und her treiben. Sie bewunderten den üppigen Blumenschmuck in der Fußgängerzone, hörten musizierenden jungen Leuten zu, betrachteten die Auslagen der Geschäfte und setzten sich für eine Weile auf einen Brunnenrand in die Sonne.

„Müssen wir wirklich einkaufen? Hier könnte ich stundenlang so vor mich hingammeln“, seufzte Katja. „Ich fühle mich wie an einem ersten Ferientag!“

„Ich auch.“ Klaus räkelte sich wohlig und faßte Katjas Bemerkung als Kompliment für seine angenehme Gesellschaft auf, und tatsächlich stellte Katja gerade bei sich fest, daß es Spaß machte, mit Klaus zusammen zu sein.

„Na komm, bringen wir's hinter uns. Versuchen wir's da drüben in dem Kaufhaus?“

„Okay. Da bekomme ich auch gleich alles, was ich Mami mitbringen soll."

Gardinen- und Möbelstoffe gab es im vierten Stock. An den Tischen wühlten schlecht gelaunte Hausfrauen in Begleitung erschöpfter oder gelangweilter Ehemänner und quakender Kinder in Sonderangeboten, eine junge Verkäuferin stand dabei und träumte von ihrem Urlaub auf Mallorca.

Jetzt zeigte sich, daß Katja ganz Mamis Tochter war. Mit gerunzelter Stirn und spitzem Zeigefinger fuhr sie die Reihen der Stoffballen hinauf und hinunter.

„Der nicht – scheußlich – doof – der geht, aber zu dünn – ganz nett, aber – nee, bloß nicht . . ."

„Was murmelst du da eigentlich in deinen Bart?"

„Pscht, Ruhe! – Der? Auch nicht – unmöglich – oh, schick, was kostet der? Zweiunddreißig! Die spinnen wohl! Hm ja, ach nee, doch nicht. Aber der! He, Klaus – wie findest du den?"

Mit energischem Ruck zog sie einen Ballen Stoff heraus, der darüberliegende Berg geriet ins Wanken, Klaus konnte ihn gerade noch auffangen. Katja wickelte vor seinen Augen ein paar Meter von dem Ballen, ein leuchtend grün-rotes Schottenmuster, das ihm sofort gefiel.

„Schön kräftig, hübsch in der Farbe, und der Preis – neun achtzig."

„Prima, den nehmen wir."

„Gib mal den Zettel mit den Maßen!"

Katja schulterte den Stoffballen und ging zu der Verkäuferin hinüber, die gerade versuchte, einem Ehepaar einen geblümten Brokatstoff aufzuschwatzen, weil er „sehr gern gekauft werde".

„Bitte hiervon zehn Meter." Katja ließ den Stoffballen auf die ausgesteckten Arme der Verkäuferin plumpsen, daß die fast das Gleichgewicht verlor.

„Wirklich, der wird immer sehr gern genommen", sagte die

Verkäuferin noch einmal beschwörend und rappelte sich wieder auf.

„Das macht nichts, wir kaufen ihn trotzdem“, sagte Katja trocken. „Zehn Meter, bitte.“

„Hören Sie, junge Frau, wir waren aber zuerst da“, brummte der Kunde.

„O Verzeihung“, Katja lächelte ihn schuldbewußt an, „ich dachte, Sie wären noch nicht entschlossen – würde es Ihnen etwas ausmachen, wenn wir unseren Stoff schnell bezahlen? Unser Baby, wissen Sie . . . es ist allein zu Hause . . .“

Diesmal wurde Klaus von einem Hustenanfall geschüttelt. Er wandte sich ab und verdrückte sich in Begleitung der Verkäuferin Richtung Kasse. Katja dankte dem Ehepaar mit einem huldvollen Lächeln und stelzte hinter den beiden her. Sie hörte gerade noch, wie die Frau zu ihrem Mann sagte: „Diese jungen Leute heutzutage können einem leid tun. So jung und schon Mutterpflichten . . .“

Die „bedauernswerten jungen Leute“ schritten, das Paket mit dem Gardinenstoff im Arm wie einen Säugling, ans andere Ende der vierten Etage, wo sich die Schallplatten- und Geschenkeabteilung befand. In Glasvitrinen lockten nutzlose Kleinigkeiten zum Kauf, von runden Ständern hingen Poster und Kunstdrucke wie Fahnen herab, und an der langen Disco-Bar saßen junge Männer und Mädchen, Kopfhörer über die Ohren gestülpt, mit verzückten Blicken und wippten einem unsichtbaren Takt folgend blöde mit den Köpfen wie eine Herde aufgezogener Spielzeugtiere.

„Jetzt darfst du dir etwas aussuchen“, sagte Katja, „wenn du magst: ein neues Poster, es kann natürlich auch etwas anderes sein.“

Klaus wühlte bereits eifrig in einem Ständer mit Foto-Plakaten.

„Dies hier wäre doch hübsch. Es würde mich ständig an dich erinnern.“

Er zog ein Poster heraus, auf dem eine Schimpansin an einem Ast schaukelte. Sie hielt sich mit einer Hand fest und hielt den zweiten Arm und die Beine graziös von sich gestreckt wie eine Tänzerin. Dabei grinste sie den Betrachter an.

Katja runzelte die Stirn.

„Eine gewisse Ähnlichkeit ist nicht abzuleugnen. Aber würdest du es ertragen, deine Tage so Auge in Auge mit mir zu verbringen?"

„Du hast recht, ich hätte immer ein schlechtes Gewissen, wenn ich meine Hosen nicht ordentlich aufgehängt habe oder mir in Gedanken versunken in der Nase gebohrt habe. Dein mahnender Blick über mir würde zuviel Selbstdisziplin von mir fordern."

„Hier – ist das nicht toll?"

„Zeig her!"

Katja zog ein großes Foto aus dem Ständer, auf dem eine Herde Büffel in einer weiten Steppenlandschaft zu sehen war, und im Hintergrund der schneebedeckte Gipfel des Kilimandscharo. Klaus betrachtete es andächtig.

„Da möchte ich jetzt sein", sagte er sehnsüchtig. „Willst du mir das wirklich schenken? Es ist sicher viel zu teuer!"

„Gefällt's dir? Dann sollst du es haben."

„Danke ..." Klaus machte eine zögernde Bewegung, als wolle er Katja einen Kuß geben, traute sich dann aber doch nicht. Katja merkte es und wich in Geschäftigkeit aus. Sie stellte die Schimpansin zurück in den Ständer, zog das Afrika-Poster heraus und kramte nach ihrem Portemonnaie. Dann drückte sie Klaus einen Zettel in die Hand.

„Hier, studier du schon mal Mamis Einkaufsliste, ich gehe inzwischen zur Kasse."

Eine halbe Stunde später standen sie mit Tüten und Päckchen beladen wieder in der Sonne.

„Jetzt möchte ich dir auch noch etwas kaufen", sagte Klaus energisch. „Komm, ich hab eine Idee."

Er zog Katja auf die andere Straßenseite hinüber und blieb vor einer Boutique stehen, in der es Jeans, T-Shirts, Gürtel und Schmuck gab.

„Schau dir mal die Gürtel an, ob dir einer besonders gut gefällt. Ich möchte dir einen schicken Jeansgürtel schenken."

„Du spinnst ja, so viel Geld auszugeben, kommt doch gar nicht in Frage!"

„Bitte! Verdirb mir doch den Spaß nicht – wie wär's mit dem dort, gefällt er dir?"

„Der ist klasse!"

„Also gut, dann komm."

Sie wollten gerade den kleinen Laden betreten, als sich von hinten zwei Arme um Katjas Schultern legten.

„Katjuscha – hast du keine Augen im Kopf, oder bist du so beschäftigt? Du hast mich fast umgerannt und hast mich nicht erkannt!" Janos drehte Katja lachend zu sich um. „Grüß dich! Willst du dir neue Jeans kaufen – oder nur stöbern? Wenn du was kaufen willst, komme ich mit, ich bin ein erstklassiger Berater, was Damengarderobe betrifft, ich werde dir genau das richtige aussuchen, verlaß dich drauf."

Katja war rot geworden, etwas unsicher schaute sie sich nach Klaus um.

„Weißt du, ich hatte eine ganze Menge Zeug für meine Mutter zu besorgen – und außerdem hatte ich Klaus versprochen, ihm beim Gardinenkauf zu helfen. Klaus ist der Sohn unseres Nachbarn. Darf ich euch bekannt machen – Klaus – das ist Janos Thöldy."

Klaus begrüßte Janos mit eisigem Gesicht. Janos schien es nicht zu bemerken.

„Oh, ich störe euch doch nicht? Ich war auch gerade dabei, einen kleinen Ladenbummel zu machen. Gehn wir hier rein?"

Janos schob Katja vor sich her, Klaus folgte steif. Was bildete dieser Janos sich ein, Katja so einfach mit Beschlag zu belegen, womöglich nur, weil er ein Star an der Oper war!

Janos hatte seinen Arm um Katja gelegt, mit der freien Hand wühlte er in einem Ständer voller Jeanskleider und bunt bedruckter Hemden.

„Hier, das würde dir gut stehen, so etwas tragen die Mädchen in meiner Heimat!"

Er zog eine bestickte Bluse mit weiten Ärmeln heraus und hielt sie Katja an. „Phantastisch! Süß! Die mußt du nehmen!"

„Aber Janos – so viel Geld habe ich doch gar nicht!" wehrte Katja ab.

„Trotzdem – zieh sie an!"

Katja gehorchte. Sie verschwand in einer der Umkleidekabinen und kam nach einer Weile zögernd in der schicken Bluse wieder heraus. Aber Janos hatte bereits etwas Neues entdeckt.

„Hier – dies ist noch viel schöner, zieh das an!"

Diesmal war es ein Kleid, ganz ähnlich wie die Bluse geschnitten und reich bestickt, aber bodenlang.

„Hinreißend!" rief Janos aus, als Katja aus der Kabine trat, und selbst Klaus stellte im stillen fest, daß Katja noch nie so hübsch ausgesehen hatte.

„Wie ein ungarisches Bauernmädchen beim Festtanz!" begeisterte sich Janos. „Jetzt noch die Haare!"

Er ergriff ein buntes Seidentuch mit Fransen, schlang es Katja um den Kopf und zog ihre Locken seitlich ins Gesicht. „Jetzt schau dich an. Steht dir das nicht toll?"

Katja erkannte sich kaum wieder. Sie sah eine aparte junge Dame im Spiegel – und daneben Janos. Janos und ich, dachte Katja stolz, und ihr Herz machte einen kleinen Freudensprung. In diesem Augenblick fühlte sie sich wie mindestens zwanzig und stark genug, die ganze Welt auf den Kopf zu stellen.

Aus dem Hintergrund schob sich eine Verkäuferin heran und fragte, ob es das Kleid sein dürfe.

„Wir wollen es uns noch überlegen", sagte Janos mit einem schmelzenden Blick. Die Verkäuferin erkannte ihn – sie hatte

„Geht allein essen – ich muß jetzt nach Hause!“ sagte Klaus säuerlich

sein Bild schon mehrmals in der Zeitung gesehen – und beschloß, sofort die „Abendpost“ anzurufen und zu erzählen, daß der berühmte Janos Thöldy bei ihr für seine Freundin eingekauft hatte. Ganz gleich ob er das Kleid nun nahm oder nicht.

Katja trennte sich schweren Herzens von ihrer geliehenen Pracht. Trotzdem blieb ein wenig von dem Gefühl der Unbesiegbarkeit, das sie eben empfunden hatte, zurück.

„Was stellen wir jetzt an?“ fragte sie übermütig, als sie wieder auf der Straße standen. „Ich habe einen Bärenhunger! Wollen wir nicht irgendwo etwas essen gehen?“

„Meinetwegen geht ihr essen“, sagte Klaus säuerlich, „was mich betrifft – ich muß jetzt nach Hause. Ich habe meinem Vater versprochen, ihm heute nachmittag beim Bau der Terrasse zu helfen.“

„Wirklich? Oh, das tut mir aber leid!“ So sehr sie sich

bemühte, es gelang Katja nicht, das kleinste bißchen Bedauern in ihre Stimme zu legen.

„Soll ich die Sachen für deine Mutter schon mal mitnehmen?"

„Aber nein, das ist viel zu viel, du würdest dich totschleppen, unmöglich!"

„Nun gib schon her. Also dann – viel Spaß noch. Wiedersehen." Klaus drehte sich abrupt um und schlurfte zur S-Bahn-Station hinüber.

„Ein bißchen verkrampft, der Typ, wie?" fragte Janos obenhin.

Katja fühlte sich unbehaglich.

„Ach, er ist eigentlich sehr nett, ein guter Kumpel, weißt du. Ich glaube, er war ein bißchen sauer auf mich, er hatte wohl gehofft, ich würde mit ihm noch ins Kino gehen oder irgend so was ..."

„Er ist doch nicht etwa verliebt in dich?" fragte Janos mit gespieltem Entsetzen.

„Ach wo, wir kennen uns schon ewig aus der Schule."

„Dann bin ich beruhigt, ich will doch nicht deine Verehrer vertreiben!" sagte Janos lachend und hängte sich bei Katja ein. „Wo wollen wir essen? Was hältst du davon, wenn ich dich in die Kantine in der Oper einlade, und dich danach im Haus ein wenig herumführe? Wir haben heute nachmittag noch eine Verständigungsprobe, da könntest du vielleicht zuschauen."

„Wirklich? Das wäre ja phantastisch! So etwas habe ich mir schon lange gewünscht!"

„Hoffentlich versprichst du dir nicht zuviel, ein Blick hinter die Kulissen wirkt auf viele Leute sehr ernüchternd."

„Auf mich bestimmt nicht."

Katja in der Oper

Der Portier schaute kaum auf, als Katja am Arm von Janos den Bühneneingang betrat. Janos führte sie durch verwirrend viele Gänge und Treppen hinüber in die Kantine. Zu ihrer Enttäuschung mußte Katja feststellen, daß sie fast leer war. An einem Tisch saßen ein paar Bühnenarbeiter in blauen Arbeitsanzügen beim Skat, an einem anderen schlürfte ein älterer Mann im weißen Kittel seine Suppe. In der hintersten Ecke entdeckte Katja einen bekannten Schauspieler, der in sein Rollenbuch vertieft dasaß, in das er sich eifrig Notizen und Striche machte.

Janos bestellte zweimal das Mittagsmenü, es gab Hackbraten, Blumenkohl und Salzkartoffeln und hinterher Vanillepudding mit Himbeersoße und dazu eine Cola. Beim Essen erzählte Janos Anekdoten aus seiner Theaterlaufbahn und aus seiner Kindheit. Er konnte herrlich erzählen, und Katja fühlte sich wie im siebten Himmel.

„Willst du nicht deine Mutter anrufen und ihr Bescheid sagen? Es wird bestimmt spät. Dort drüben ist ein Münzapparat."

Am anderen Ende der Leitung meldete sich Celia. Einen Augenblick überlegte Katja, ob sie sie bitten sollte, Mami an den Apparat zu rufen. Aber eine innere Stimme sagte ihr, Mami könnte vielleicht Einwände haben, daß sie bis zum Abend in der Stadt blieb. Also bat sie Celia, Mami auszurichten, daß sie bei einer Probe in der Oper zuschauen dürfe und deshalb erst zum Abendbrot zurück sein würde.

„Alles klar, die Führung kann beginnen. Zeigst du mir jetzt euren Ballettsaal?"

„Natürlich. Komm!"

Um diese Zeit war es still in der Oper. Wer am Samstag oder Sonntag nichts in einer der Vorstellungen zu tun hatte, blieb zu Hause.

„An anderen Tagen geht es hier zu wie in einem Bienenstock“, erzählte Janos. „Aber dann hätte ich dir auch nicht das ganze Haus zeigen können, weil in allen Räumen gearbeitet wird. Ich will versuchen, dir den Betrieb hier ein bißchen zu erklären. Nehmen wir einmal an, der Intendant hat sich zur Aufführung einer neuen Oper entschlossen. Dann wird als nächstes bestimmt, wer die Regie führen soll und wer dirigieren wird. Dazu kommen . . .“

„. . . der Bühnenbildner und der Kostümbildner.“

„Richtig. Und wenn Tanzszenen drin sind, natürlich der Ballettmeister. Nun wird die Besetzung festgelegt, das heißt, wer die einzelnen Rollen – in der Oper sagt man ‚Partien‘ – singen oder tanzen soll. Bühnenbildner und Kostümbildner legen dem Regisseur ihre Entwürfe vor. Und wenn Besetzung und Bühnenbild feststehen, beginnt für ein großes Team, das der Zuschauer nie zu sehen bekommt, die Arbeit: Die Sänger studieren ihre Partien ein, ebenso der Chor; das Orchester probt die neue Partitur; Schreiner, Schlosser und Maler beginnen in den Werkstätten mit dem Bau des Bühnenbilds; in der Schneiderei werden die Kostüme gefertigt; in der Maskenbildnerei die Perücken geknüpft und Masken angefertigt – und schließlich im Ballettsaal die Choreographie festgelegt und geprobt.“

„Du hast was vergessen“, sagte Katja grinsend. „In den Büros wird um die höchste Gage gestritten!“

„Manchmal auch das, ja. Aber nicht nur: Vor allem werden dort natürlich die Spieltermine festgelegt und um Probentermine verhandelt. Eine mühsame Arbeit, wenn in einer Inszenierung berühmte Gäste von außerhalb beschäftigt sind.“

Während Janos erzählte, hatte er Katja in eine ganze Reihe verschiedener Räume schauen lassen, Künstlergarderoben,

Musikzimmer, Maskenbildnerei und Werkstätten. Jetzt öffnete er eine Eisentür, die auf die Bühne führte. Hier begann man gerade damit, das Bühnenbild für die Abendvorstellung aufzubauen. Katja ging unwillkürlich auf Zehenspitzen. Janos begrüßte einen Mann im Arbeitskittel und wechselte leise ein paar Worte mit ihm. Der schaute zu Katja herüber und nickte. Katja legte den Kopf in den Nacken und schaute nach oben. Was für ein Gewirr von Stangen, Seilen und Lampen! Gerade schwebte eine ägyptische Landschaft auf die Bühne hinunter, Podeste schoben sich wie von Geisterhand bewegt von unten herauf. Janos zog Katja in den Hintergrund der Bühne.

„Siehst du, so sieht die Geschichte von hinten aus. Nichts als Sperrholz, Leinwand, Pappe – und Staub."

„Ich find's himmlisch! Und wie das riecht – einfach aufregend! Hier stehst du also am Abend und wartest auf deinen Auftritt."

„Ja, und bei einer Premiere mit einem saumäßigen Gefühl in der Magengrube und dem heißen Wunsch, tausend Kilometer entfernt in einer verborgenen Höhle zu sitzen."

„Du hast Lampenfieber, wirklich? Das hätte ich bei dir nie gedacht!"

Janos lachte. „Hast du eine Ahnung! Komm, jetzt zeige ich dir noch die Beleuchterbrücke. Das ist die reinste Orgel, du wirst staunen!"

Endlich landeten sie im Ballettsaal. Janos stellte Katja ein paar Kollegen vor, die bereits zur Probe erschienen waren. Katja schaute sich um. Wie anders war hier alles als in der Ballettschule. Der große, hohe Raum, die Spiegel . . .

„Setz dich hier in die Ecke, da störst du niemanden und kannst alles sehen. Ich muß mich jetzt umziehen." Janos führte sie zu einem Stuhl. „Da kommt Knut Holmar, er muß heute abend für einen erkrankten Kollegen eine Rolle übernehmen. Paß schön auf, vielleicht kannst du jemandem einen Trick abschauen", fügte er augenzwinkernd hinzu.

„Na, ich fürchte, es gibt keine Tricks beim Tanzen. Das wäre zu schön um wahr zu sein. Ich hab jedenfalls bis jetzt immer feststellen müssen, daß Tanzen zu hundert Prozent aus harter Arbeit besteht", seufzte Katja.

Immer mehr Tänzer betraten den Raum und gingen an die Stangen, um ihre Körper für die Arbeit geschmeidig zu machen. Wie lächerlich stümperhaft wirkte dagegen alles, was sie in der Schule machten. Katja wurde ganz mutlos, wenn sie an die Proben für ihren Tanzabend dachte. Jetzt begriff sie, warum Janos nicht bei ihnen auftreten wollte.

Der Ballettmeister erschien und ging auf Katja zu. Katja sprang auf und wurde rot wie ein kleines Mädchen.

„Bleib doch sitzen. Janos hat mir gesagt, daß du zuschauen möchtest. Du sollst begabt sein! Na, vielleicht können wir dich eines Tages in unseren Reihen begrüßen, wie?"

Katja brachte kein Wort heraus.

„Helga ist noch nicht da. Laß sie doch mittanzen, dann haben wir gleich einen Ersatz", witzelte einer der Tänzer im Hintergrund.

Katjas Gesicht bekam die Farbe eines frisch gekochten Krebses. Verwirrt ließ sie sich auf ihren Stuhl fallen. Sie ärgerte sich über ihre Hemmungen und versuchte, möglichst überlegen zu wirken, indem sie die Beine übereinanderschlug und sich lässig nach hinten lehnte.

Der Ballettmeister klatschte in die Hände und begann dem Ersatzmann für die Abendvorstellung Schritte und Stellungen des Tanzes zu erklären. Bald war die Probe in vollem Gange und keiner beachtete Katja mehr, die wie gebannt auf ihrem Platz saß und jedem Wort, jeder Bewegung folgte.

„Komm, ich bring dich zur S-Bahn. Ich habe noch eine Stunde Zeit", sagte Janos, als die Probe zu Ende war und die Tänzer in die Garderobe gingen, um sich umzuziehen. „Es dauert nur fünf Minuten, dann bin ich fertig. Warte hier solange."

„Okay."

Katja war noch ganz benommen. Um sie herum begann das Haus lebendig zu werden, Musikfetzen drangen herauf, Türen klappten, auf den Gängen hallten Schritte, man hörte Zurufe, und ein Tenor schmetterte sein „Mimimimiiiimmmmehr Gage". Es war aufregend, fremd und verführerisch. Alle schienen eine große Familie zu sein, eine Familie, die sich in einer Geheimsprache verständigte und anders war als die ganze übrige Welt. Wie herrlich mußte es sein, da unten auf der großen Bühne zu tanzen – vor Hunderten von Menschen, vor einem Publikum, das andächtig jeder Bewegung, jedem Schritt folgte und am Schluß in Bravorufe und donnernden Applaus ausbrach!

„He, träumst du? Wir können gehen."

Janos nahm Katja am Arm und führte sie hinaus. Beim Portier stand ein dicker Sänger, den Katja schon einmal auf der Bühne gesehen hatte. Unter dem Bademantel, den er trug, schauten die Hosen seines Bühnenkostüms heraus. Und da er den Mantel offen trug, sah man, daß er seinen massigen Bauch in ein Korsett gezwängt hatte. Katja schaute schnell weg, um nicht laut loszulachen.

Vor dem Haupteingang erschienen die ersten Zuschauer. Bald würde es hier von mit Schmuck behangenen Damen in eleganten Abendkleidern und Herren im dunklen Abendanzug wimmeln.

Janos hängte sich bei Katja ein. „Müde?" fragte er.

„Nein. Nur irgendwie – komisch. Ich meine, ich bin so deprimiert, seit ich euch bei der Arbeit gesehen habe. Einerseits bin ich begeistert über den herrlichen Nachmittag und alles was ich gesehen habe, aber andrerseits – ich weiß nicht, ob du das verstehst. Ich habe das Gefühl, alles was wir in der Schule machen ist so stümperhaft, der reinste Kindergarten. Ich glaube, ich wage gar nicht mehr, auf der Probe noch einen Schritt zu machen."

Der dicke Sänger in seinem Korsett war ja zum Totlachen! Katja kicherte verstohlen

„Sei nicht albern, du übertreibst maßlos", sagte Janos ärgerlich. „Wenn ich gewußt hätte, daß du so darauf reagierst, hätte ich dich nicht zuschauen lassen. Gerade du hast überhaupt keinen Grund zu Minderwertigkeitskomplexen! Es sollte dich anstacheln, deine Phantasie anregen."

„Ich wußte, daß du es nicht verstehst." Katjas Stimme war

auf einmal ganz klein. Warum war ihr plötzlich so zum Heulen zumute? Dieser Nachmittag im Theater hatte sie ganz durcheinandergebracht. „Ich kann es dir auch nicht erklären", sagte sie spröde und fühlte, wie sich auf ihren Augen kleine Pfützen bildeten. „Es ist das Gefühl, daß man sich bis zum Zerreißen nach etwas sehnt – danach sehnt, etwas zu können – und gleichzeitig fühlt, daß man es nie können wird. Nie!"

Janos blieb stehen und zog sie an sich.

„Du Schäfchen. Eben diese blöden Gedanken möchte ich dir ja austreiben – oder nein, nicht austreiben, aber dir begreiflich machen, daß sie dazugehören – zum Tänzerberuf. Das ist ganz normal! Vielleicht ist es sogar wichtig, um den Antrieb zum Weiterarbeiten zu bekommen. Ich selbst muß mich immer wieder mit diesen Zweifeln herumschlagen." Lächelnd nahm er ihren Kopf in beide Hände und küßte sie zart auf die Stirn. Katja war es, als schwanke der Boden unter ihr, wie die Planken eines Schiffes bei Windstärke zwölf.

„Komm, jetzt mußt du aber gehen, sonst verpaßt du den nächsten Zug auch noch. Wir haben noch vier Minuten."

„Verflixt!"

Hand in Hand rannten sie die Treppen zum Bahnsteig hinunter. Vor der Sperre drückte Janos Katja noch einmal an sich.

„Ciao! Bis Montag – auf der Probe!"

Er winkte ihr nach, bis sie auf der Rolltreppe verschwunden war.

Da Katja ihrer Mutter nicht gesagt hatte, mit welchem Zug sie kommen würde, mußte sie die fünf Kilometer von der Station zu Fuß nach Hause gehen. Aber das war ihr gerade recht. Ihr Gefühlsaufruhr ließ sich am besten auf einem Spaziergang verarbeiten. Janos hatte sie geküßt, Janos hatte sie im Arm gehalten – immer wieder durchlebte sie in Gedanken diese Szene, versuchte sich an jedes Wort zu erinnern. Er, der berühmte Solotänzer Janos Thöldy, interessierte sich für die uninterressante, unbedeutende Katharina Steinebach, die sich selbst so häßlich und doof fand, daß sie immer noch rot wurde, wenn jemand sie genauer betrachtete.

Als sie zu Hause ankam, war es bereits dunkel. Der Abendbrottisch war abgedeckt und Mami war dabei, die Zwillinge ins Bett zu bringen.

Papi saß im Wohnzimmer und las die Zeitung, er tat, als bemerke er Katja überhaupt nicht und dachte nicht daran, ihr betont munteres „Guten Abend“ zu erwidern.

Celia begegnete ihr auf der Treppe.

„Dicke Luft!“ flüsterte sie und grinste schadenfroh.

Katja schaute ins Zimmer der beiden Brüder. Mami saß auf der Bettkante bei Fips und erzählte eine Geschichte. Katja hatte ein flaues Gefühl im Magen.

„Hallo, ihr drei – guten Abend!“

„Guten Abend“, sagte Mami kühl, und Markus und Fips machten Gesichter, als warteten sie begierig darauf, eine Schlange ein Kaninchen verspeisen zu sehen.

„Die Probe war toll, Mami!“ versuchte Katja ein Gespräch in Gang zu bringen.

„Wie schön für dich“, antwortete Mami ungerührt. „Um so mehr, als es für lange Zeit dein letzter Ausflug in die Stadt gewesen sein wird. In Zukunft möchte ich über solche Unternehmungen vorher genau unterrichtet werden.“

„Bist du sauer auf mich?“

„Sagen wir lieber – ich bin enttäuscht. Du hast dich dem armen Klaus gegenüber einfach unmöglich benommen. So eine Kaltschnäuzigkeit hätte ich bei dir nicht für möglich gehalten.“

„Hat er sich über mich beschwert?“

„Er hat kein Wort darüber verloren. Das war auch gar nicht nötig. Über eines solltest du dir klar sein, meine Liebe: Auch die größte Begeisterung für eine Sache oder einen Menschen rechtfertigt nicht, daß man sich andern gegenüber taktlos benimmt. Aber wahrscheinlich wirst du das erst begreifen, wenn du selbst einmal die Betroffene bist. Und nun laß uns allein, ich möchte meine Geschichte weitererzählen."

„Kann ich mir noch was zu essen holen? Ich habe Hunger."

„Dann wirst du dich bis zum Frühstück gedulden müssen. Die Abendbrotzeit ist vorbei."

„Ich habe sowieso keinen Appetit!" sagte Katja wütend, ohne zu merken, daß sie sich widersprach.

Sie ging in ihr Zimmer hinüber und warf sich aufs Bett. Was fiel Mami eigentlich ein, sie wie ein kleines Kind zu behandeln! Sie war fast fünfzehn, in ein, zwei Jahren war sie erwachsen. Mami hatte keine Ahnung von ihrem Leben, sie war einfach nicht imstande zu begreifen, was das Tanzen, was Janos für sie bedeutete! Na, auch egal. Ihr Leben würde sich eben ab jetzt außerhalb der Familie abspielen. Die ging ihr sowieso auf den Wecker, immer dieses Kleinkinder-Gequatsche, Haushaltsprobleme und vergiß ja nicht, Tante Lotti zum Geburtstag zu schreiben! – So was Idiotisches! Was wußte Mami schon von den wirklich wichtigen Dingen!

Ja, wenn Mami damals wirklich Malerin geworden wäre, oder Grafikerin! Dann wäre sie jetzt vielleicht eine international bekannte Künstlerin und ihr Denken würde sich in ganz anderen Bahnen bewegen. Dann könnte man mit ihr reden. Aber sie mußte ja unbedingt Papi heiraten und ein ganz stinknormales, spießiges Bürgerleben führen. Wie konnte sie da begreifen, was einen künstlerischen Menschen bewegte!

Katja holte das kleine Foto von Janos hervor und sah ihrem Idol in die Augen. „Wir gehören zusammen, Janos, das genügt. Alle anderen können uns den Buckel runterrutschen!" flüsterte sie.

Die verunglückte Party

Wenn Katja geglaubt hatte, Janos würde ihr außerhalb der Proben viel Zeit widmen, hatte sie sich getäuscht. Er hatte ohnehin Mühe, seinen Verpflichtungen in der Oper und in der Ballettschule Künzel nachzukommen. Er erschien kurz vor dem Unterricht oder der Probe, arbeitete intensiv mit seinen Schutzbefohlenen und verschwand eilig wieder. Den Nachmittag, den Katja bei ihm in der Oper verbracht hatte, erwähnte er mit keinem Wort. Und nicht einmal durch Blicke ließ er merken, daß Katja ihm näherstand als die anderen Mädchen. Er war zu allen gleich freundlich, keine wurde bevorzugt oder benachteiligt. Der einzige Unterschied war vielleicht, daß er Katja besonders hart drannahm, er verlangte viel von ihr, und sie bemühte sich, ihn nicht zu enttäuschen, auch wenn sie oft vor Schmerzen und Müdigkeit den Tränen nahe war.

Vierzehn Tage hatten sie noch Zeit bis zur Aufführung. Die Aula des Schulzentrums war gemietet, die Plakate gedruckt. Eine Gruppe von freiwilligen Helfern war dabei, das Bühnenbild nach Janos' Entwürfen herzustellen, die Kostüme kamen aus einem Theaterverleih. Eine junge Maskenbildnerin aus der Oper hatte sich bereit erklärt, das Schminken und Frisieren zu übernehmen.

Frau Künzel erholte sich zusehends. Zwar würde sie bei der Aufführung noch nicht dabeisein können, aber jeden Tag ging eines der Mädchen zu ihr ins Krankenhaus und berichtete von der Probenarbeit.

„Es ist zum Verzweifeln", stöhnte Katja, als sie bei Petra im Zimmer saß, um gemeinsam mit der Freundin die Hausaufgaben zu machen. „Janos hat einfach keine Zeit für mich, wenn er hier ist. Und ich darf nicht in die Stadt fahren. Ich muß ihn unbedingt sprechen, ich muß einmal mit ihm allein sein, ich halte es nicht mehr aus! Manchmal denke ich schon, ich hätte den ganzen Nachmittag mit ihm nur geträumt. Kannst du mir keinen Rat geben?"

„Was für einen Rat?" Petra hatte nur mit halbem Ohr zugehört, wie immer, wenn Katja von Janos sprach. Denn meistens handelte es sich um endlose Reden darüber, wie wundervoll und einmalig der angebetete Janos war.

„Wie ich ihn außerhalb der Ballettschule sehen kann!"

„Ich weiß gar nicht, worüber du dich beklagst. Du siehst dein Idol fast jeden Tag – ich meinen Stefan höchstens mal in den Ferien."

„Ach, Stefan und du, das ist doch was ganz anderes. Ihr seid euch einig, ihr seid richtig fest befreundet. Aber Janos und ich – ich weiß ja noch nicht mal, ob er für mich das gleiche empfindet wie ich für ihn!"

„Und was soll ich dabei tun?"

„Mir helfen. Schließlich bist du meine einzige und beste Freundin! Fällt dir denn wirklich nichts ein?"

„Nein. Aber ich denk mal drüber nach. Vielleicht habe ich eine Erleuchtung." Petra wandte sich wieder ihrem Aufsatzheft zu.

Eine Weile arbeiteten beide schweigend. Dann hob Petra plötzlich den Kopf.

„Du – ich glaube, mir ist da was eingefallen . . ."

„Ja? – Los, sag schon!"

„Meine Mutter verreist am kommenden Wochenende. Wir könnten eine Party geben, ein paar Leute aus der Ballettschule einladen. Elfie, Ulrike, Inga, Constanze – alle freiwilligen Assistenten. Und dazu laden wir Janos und Peter Olzhausen ein. Ich werde sagen, daß ich irgendwas besonders Gutes koche. Ein Fiakergulasch zum Beispiel – und hinterher Salzburger Nockerln."

„Hast du die schon mal gemacht? Das ist doch furchtbar schwierig?“

„Ich werd’s schon schaffen. Bis jetzt ist mir immer alles gelungen.“

„Du, das ist eine tolle Idee!“ Katja wurde ganz aufgeregt. „Hast du eine Zeitung da? Die Wochenendausgabe mit dem Theaterplan. Mal sehen, ob Janos frei hat.“

„Nicht nötig, ich weiß es. Am Samstag geben sie ‚La Bohème‘, da hat er nichts zu tun.“

„Prima! Hoffentlich sagt er zu! Du mußt ihm richtig den Mund wässrig machen – kannst du nicht was Ungarisches kochen?“

„Gulasch ist ja schon was Ungarisches.“

„Ach so, natürlich. Menschenskind, wenn das klappte!“

Es klappte tatsächlich. Janos hatte sich den ganzen Samstag Zeit für die Proben genommen, auch Peter Olzhausen war dabei. So war es Petra nicht schwergefallen, die beiden zu überreden, anschließend zu einem guten Essen zu ihr zu kommen. Elfie und Ulrike hatten begeistert zugesagt, Constanze hatte schon etwas anderes vor. Und Inga war sich noch nicht ganz schlüssig gewesen. Das hinge nicht von ihr ab, hatte sie gesagt, und die Mädchen wußten, daß sie einen recht herrschsüchtigen Freund hatte, nach dem sie sich in allem richtete.

Bereits am Freitagabend hatten Katja und Petra alles vorbereitet. Das Gulasch war fertig gekocht, das Stangenbrot brauchte nur noch im Ofen aufgebacken zu werden, Säfte und Wein standen bereit, nur die Salzburger Nockerln mußte Petra frisch zubereiten, wenn die Gäste beim Gulasch saßen.

Katja hatte bei der Probe alle Mühe gehabt, ihre Gedanken beisammenzuhalten, so sehr beschäftigte sie der Verlauf des Nachmittags und all das, was sie Janos sagen wollte.

Gleich nach der Probe liefen sie und Petra voraus, um die letzten Vorbereitungen zu treffen. Katja verteilte Schälchen mit Salzstangen und Nüssen und steckte die Kerzen an, den Tisch hatte Petra bereits morgens gedeckt. Petra kümmerte sich um das Essen. Kurz darauf klingelte es und Elfie erschien am Arm von Peter Olzhausen, gefolgt von Ulrike und Inga.

„Janos kommt etwas später, wir sollen schon mal anfangen", verkündete Elfie. „Er muß einen Besuch vom Bahnhof abholen, der sich plötzlich fürs Wochenende bei ihm angesagt hat. Er wollte eigentlich bei dir absagen, Petra, aber ich habe ihn überredet, seinen Besuch einfach mitzubringen. Du bist doch einverstanden?"

Petra wechselte einen raschen Blick mit Katja.

„Klar, das war das Beste was du tun konntest. Es wäre ein Jammer gewesen, wenn er nicht gekommen wäre! Und nun setzt euch! Es wird sofort serviert."

Katja brachte kaum einen Bissen herunter. Immer wieder wanderte ihr Blick zur Tür. Wenn Janos es sich nun anders überlegte? Wenn er gar nicht kam? Und was mochte das für ein Besuch sein? Ein Freund vielleicht, ein Kollege? Wenn dieser Kollege möglicherweise keine Lust hatte, auf eine Party mit lauter ihm fremden Leuten zu gehen – und Janos überredete abzusagen?

Die anderen amüsierten sich köstlich und merkten zum Glück nichts von Katjas Sorgen. Petras Gulasch schmeckte vorzüglich und die Gäste sparten nicht mit Lob.

„Wenn Janos noch etwas abbekommen will, muß er sich beeilen", bemerkte Peter trocken und füllte sich den Teller zum drittenmal.

„Keine Sorge – ich habe den Zuspätkommenden schon eine Extraportion reserviert. Entschuldigt mich bitte – ich muß mich jetzt um den Nachtisch kümmern . . ."

„Was gibt's denn?"

„Das ist eine Überraschung. Drückt den Daumen, daß es klappt – ich probier's zum erstenmal", sagte Petra lachend und verschwand in der Küche.

Endlich läutete es. Katja sprang so heftig auf, daß ihr Stuhl nach hinten kippte. Sie konnte ihre Erregung kaum verbergen. Im Flur fuhr sie sich noch einmal mit der Hand durch die Haare und zog die Strähnen seitlich ins Gesicht, wie Janos es gern hatte. Dann öffnete sie die Tür.

„Na, das wurde ja auch Z . . ." Ihr übermütiges Begrüßungslächeln erstarb. Arm in Arm mit Janos stand da ein bezaubernd hübsches dunkelhaariges Geschöpf, das sie von Zeitungsfotos zu kennen glaubte. „Oh – hallo . . ." Ihre Kehle war auf einmal so trocken, daß sie kaum ein Wort herausbrachte.

„Habt ihr uns noch was übriggelassen?" Janos schien nichts von ihrem Entsetzen zu merken. „Darf ich euch bekannt machen? Das ist Katja – der begabteste Nachwuchs aus Frau Künzels Stall, eines Tages wirst du dich vor ihr in acht nehmen müssen. Und das ist meine Verlobte – Marcella. Du kennst sie sicher von Fotos und Zeitungsartikeln. Sie ist Solotänzerin in Stuttgart. Ihr Deutsch ist nicht besonders, sie kommt aus Südamerika, weißt du. Aber ihre Fehler haben Charme." Janos küßte Marcella aufs Ohrläppchen, was Katja einen weiteren Stich gab, und ging an ihr vorbei ins Zimmer. Katja hörte, wie die anderen ihn und Marcella mit lautem Hallo begrüßten.

Von der Treppe drangen Stimmen herauf.

„He – sind wir hier richtig? Hier soll eine dufte Party gefeiert werden?!"

Katja starrte immer noch wie gelähmt hinter Janos und Marcella her. Neben ihr tauchten zwei junge Männer auf, die sie im Ballettsaal gesehen hatte. Sie waren mit Tüten und einem riesigen Blumenstrauß bepackt und begrüßten Katja strahlend.

„Da ist ja auch unser Nachwuchs-Star! Grüß dich! Die Arme, sie wird bei unserem Anblick ganz blaß."

„Sie befürchtet, daß für sie nichts mehr zu essen übrigbleibt, wenn wir erst auftauchen. Keine Sorge, Mädchen, wir haben jede Menge Nachschub mitgebracht. Würstchen, Koteletts, französischen Camembert, Radieschen – und was zu trinken. Wo ist die Gastgeberin?"

Sie warteten Katjas Antwort nicht ab und stürmten in die Richtung, wo sie Petra mit dem Schneebesen hantieren hörten. Lautstark entschuldigten sie sich dafür, daß Janos sie überredet hatte, mitzukommen. Wahrscheinlich befürchtete der liebe Janos, er würde sich unter so viel Kindern sonst zu Tode langweilen, dachte Katja bitter. Es fiel ihr schwer, zu den anderen zurückzukehren und nicht einfach stillschweigend ihre Jacke vom Garderobenhaken zu greifen und abzuhaun. Aber es half nichts, sie durfte sich jetzt nichts anmerken lassen.

Die beiden Tänzer hatten sich zu den anderen gesellt.

„Elfie, altes Haus, wie geht's dir, wir haben uns ja ewig nicht gesehen! Du bist tatsächlich die einzige von uns, die an Mutters Schürzenband hängengeblieben ist! Gefällt's dir noch dort?"

„Sonst wäre ich ja nicht geblieben", antwortete Elfie lachend.

„Ach – ihr seid auch bei Frau Künzel ausgebildet worden?" fragte Inga überrascht.

„Nun ja, zum Teil. Wir sind dann für den Rest der Ausbildung in die Ballettschule der Oper übernommen worden."

Es dauerte nicht lange, da war die schönste Fachsimpelei im Gange. Erinnerungen wurden ausgetauscht, Anekdoten erzählt.

Ein andermal hätte Katja wahrscheinlich begeistert zugehört, heute kam sie sich nur entsetzlich überflüssig vor. Sie hockte auf dem Fensterbrett und sah zu der Gruppe hinüber. Janos hatte seinen Arm um Marcella gelegt und flüsterte ihr verliebt ins Ohr. Die anderen schwatzten und lachten durcheinander, sie waren eine Welt für sich, in die Katja keinen Zutritt hatte. Wie selbstsicher und überlegen sie waren! Und diese Marcella! Alles an ihr war harmonisch und elegant, die großen dunklen Augen in dem schmalen, braunen Gesicht, die schwarzbraunen Haare, die zu einem dicken Zopf geflochten am Hinterkopf wie ein Hahnenkamm hochgesteckt waren und

Wie selbstsicher diese Marcella ist – gegen sie bin ich ein blödes Baby, dachte Katja wütend

vorn in weichen Wellen das Gesicht einrahmten, der rassige, durchtrainierte Körper, die langen, schlanken Beine. Zu dem betont schlichten Kostüm trug sie ein wertvolles Seidentuch lässig um den Hals geknotet, an den Handgelenken klirrten goldene Armreifen. Gegen sie bin ich einfach ein zurückgebliebenes, blödes Baby, dachte Katja wütend. Warum kann ich nicht genauso sein?

Katja stand auf und ging in die Küche hinüber. Petra stand mit hochrotem Kopf vor dem Backofen und krampfte die Finger ineinander.

„Was machst du da?"

„Ich bete – daß meine Salzburger Nockerln was werden. Sie wollen nicht richtig aufgehen! Vielleicht habe ich irgendwas falsch gemacht. Als die beiden Freunde von Janos reinkamen, habe ich meinen Teig eine Weile stehenlassen müssen . . ."

Petra war den Tränen nahe. Das lenkte Katja für einen Augenblick von ihrer verzweifelten Stimmung ab.

„Du hast doch niemandem gesagt, daß du Salzburger Nockerln machen willst?"

„Nein", sagte Petra und schluckte die aufsteigenden Tränen der Wut tapfer hinunter. „So schlau war ich wenigstens."

„Also gut – was haben wir denn noch an Vorräten da? Wir werden was anderes zaubern!"

„Warte mal – im Tiefkühlfach ist noch Eiscreme. Dann haben wir Kompott, Kekse, Likör, Kakao, Schokolade . . ."

„Herz, was willst du mehr. Also los – gib eine große Schüssel her. Die Kekse tränken wir mit Likör, dann das Eis drauf, Obst, wieder Eis, geriebene Schokolade – und dann zünden wir das Ganze an."

„Wie bitte?"

„Flambieren – schon mal was davon gehört? Deine Mutter hat doch sicher irgendwo was Hochprozentiges?"

„Klar! Du bist ein Schatz. Wir werden gemeinsam ein Restaurant eröffnen."

Schnell hatten die beiden Mädchen die Schüssel mit allem erreichbaren Süßen gefüllt, die oberste Schicht bildete ein kleiner Scheiterhaufen aus Bisquits, der reichlich mit Rum getränkt wurde.

Mach eine richtige kleine Pfütze in die Mitte – da, in die ausgehöhlte Birne –, sonst brennt's nicht. Wie nennen wir unsere Komposition denn?"

„Hollywood-Prinzessins Traum", meinte Petra.

„Ich würde eher sagen Mickymaus' Alptraum. Hast du die Streichhölzer? Also los."

Kurz vor der Wohnzimmertür zündete Katja den süßen Berg an. Die Flammen schlugen so hoch, daß Petra die Schüssel um ein Haar hätte fallen lassen, zum Glück aber war Katja darauf vorbereitet und kam ihr zu Hilfe.

„Donnerwetter! Klasse!" – „Phantastisch!" – „In dem Lokal esse ich öfter!" – „Dafür kriegst du fünf Sterne!" – „Ihr wart doch eben alle satt? Ihr mögt doch nicht etwa noch was davon?" so alberte und schrie die überraschte Gesellschaft durcheinander.

Im Nu war der Inhalt der Schüssel verteilt. Katja holte die noch fehlenden Teller, aber, als sie endlich soweit war, sich selbst eine Portion zu nehmen, war nicht das kleinste Krümchen mehr da. Auch Petra hatte nichts mehr abbekommen.

„Petra – Petra, hast du nichts mehr gekriegt? Komm, mein Schatz, ich teile mit dir. Du hast uns so verwöhnt!" Peter Olzhausen zog Petra übermütig an seine Seite und reichte ihr seinen Teller. Janos fütterte Marcella wie ein kleines Baby. Daß Katja nichts bekommen hatte, bemerkte niemand.

Katja schlich sich hinaus. Mechanisch drehte sie den Schalter des Backofens auf Null, in dem immer noch die Form mit den Salzburger Nockerln schmorte. Dann begann sie aufzuräumen und das herumstehende schmutzige Geschirr abzuwaschen.

Je länger sie in der Küche stand, desto dicker wurde der Kloß in ihrer Kehle. Keinem schien es aufzufallen, daß sie in der Gesellschaft fehlte. Wenn er doch kommen würde! dachte sie verzweifelt. Nur kommen, nichts weiter. Kommen und fragen: Was machst du denn hier, wir vermissen dich! Laß doch den blöden Abwasch stehen, den machen wir nachher gemeinsam! Aber nichts dergleichen geschah. Drüben lachten und johlten sie, anscheinend erzählten sie jetzt Witze. Katja hielt es nicht mehr aus. Sie stürzte aus der Küche und lief in Petras Schlafzimmer. Dort warf sie sich auf das Bett, verbarg das Gesicht im Kopfkissen und schluchzte herzzerreißend.

Sie wußte nicht, wie lange sie dort gelegen und geweint hatte, ihr Kopf fühlte sich heiß und fiebrig an, ihr war hundeelend, als Petra ins Zimmer sah.

„Lieber Himmel, hier bist du? Ich habe dich schon gesucht wie eine Stecknadel. Ist dir nicht gut?"

„Nicht besonders."

Jetzt erst sah Petra, daß Katjas Gesicht vom Weinen ganz verschwollen war. Sie begriff sofort – wie hatte sie das auch vergessen können! Vor lauter Sorge um ihre Salzburger Nockerln hatte sie gar nicht mehr an den eigentlichen Anlaß für die Party gedacht!

„Bleib liegen. Ich sage ihnen, ich hätte eine Nachricht von dir gefunden, daß du heimgegangen wärst, weil dir nicht gut war. Okay? Oder – soll ich Janos rufen?"

„Untersteh dich! Damit alle über mich lachen!"

„Schon gut. Sie wollen sowieso jetzt gehen. Warte so lange hier."

Katja hörte die Gesellschaft aufbrechen, auf dem Flur wurde gelärmt und gelacht, dann entfernten sich die Stimmen im Treppenhaus, drangen von der Straße noch einmal ins Zimmer, Autotüren klappten, Motoren heulten auf, eine Stimme rief: „Also in einer Stunde im ‚Allotria'." Dann wurde es still. Katja schluchzte leise.

„Weißt du noch, wie ich damals zusammenklappte . . .?" sagte Petra leise und tröstend zu ihrer Freundin

Petra kam ins Zimmer und setzte sich auf die Bettkante. Sie drehte Katja zu sich herum und begann, ihr das Gesicht abzuwaschen.

„Weißt du noch, damals im Krankenhaus? Als ich so zusammenklappte? Damals hast du mich gewaschen wie ein kleines Baby."

Katja richtete sich stöhnend auf.

„Oh, Mann – ich fühle mich, als hätte mich jemand durch den Fleischwolf gedreht."

„Hier, trink das."

Der Apfelsaft schmeckte kühl und erfrischend. Der Druck in Katjas Kopf ließ langsam nach.

„Du wirst heute nacht ein neues Kopfkissen brauchen. Tut mir leid – sei nicht böse, ich weiß, ich bin blöd."

„Quatsch.“

Katja stand auf und taumelte in die Küche. Dort ließ sie sich auf den nächsten Stuhl fallen. Ihr Blick fiel auf eine Form, die vor ihr auf dem Tisch stand.

„Was ist denn das?“

„Ursprünglich sollten es Salzburger Nockerln werden . . .“

Katja befühlte die klebrig braune Schicht, die zentimeterhoch den Boden der Form bedeckte.

„Meinst du, man kann das noch essen?“

„Giftig wird’s nicht sein. Sieht aus wie Sahnebonbon.“

„Gib mal ’ne Gabel.“

Petra holte zwei Gabeln aus dem Schubfach und gab eine davon Katja. Schweigend kratzten sie die gummiartige Masse aus der Form.

„Schmeckt nicht schlecht.“

„Nö. Prima!“

„Die Hälfte ich, die andere Hälfte du.“

„Hm.“

Plötzlich kicherte Petra.

„Nicht das einzige, was heute zusammengeklatscht ist.“

Jetzt kicherte auch Katja.

„Wie wahr, wie wahr! Nur mit einem Unterschied . . .“

„Hm?“

„Dies kann man noch genießen.“

Jetzt erst recht

Mami war wieder mal bewundernswert. Mami hatte kein Wort gesagt, als Katja wie ein Häufchen Unglück mit verquollenem Gesicht von der Party kam und murmelte, sie wolle gleich ins Bett gehen. Sie war später ins dunkle Zimmer gekommen, hatte Katja etwas zu trinken ans Bett gestellt und ihr über die

Stirn gestrichen. Und als Katja ihr in die Arme fiel und schluchzte: „Ich hör auf, ich mach nicht mehr weiter, ich laß die ganze Scheißtanzerei sausen!", hatte sie sie nur schweigend gestreichelt und war bei ihr sitzen geblieben, bis Katja ruhiger wurde und einschlief.

Katja hatte bis zum Sonntag mittag geschlafen. Dann schien ihr die Sonne auf die Nase, und sie wachte auf mit einem Gefühl, als hätte sie wochenlang in einer tiefen Ohnmacht gelegen. Sie hörte die anderen draußen im Garten, sie sprachen leise, Mami mahnte die Zwillinge: „Nicht so laut, laßt Katja schlafen, ihr geht es nicht gut."

Wenn sie an gestern nachmittag dachte, fühlte sie einen dumpfen Schmerz, aber über Nacht schien alles ein wenig ferngerückt, wie hinter einer Mauer von Watte.

Katja ging ins Bad hinüber und stellte sich unter die Dusche. Heiß und kalt, wieder heiß und wieder kalt ließ sie sich das Wasser über Gesicht und Körper laufen, als könne sie damit den ganzen gestrigen Tag von sich abwaschen.

„Na, geht's ein bißchen besser?" fragte Mami, als Katja in die Küche kam.

„Hm." Katja gab ihr einen Kuß. „Soll ich schon mal den Tisch decken?"

„Draußen auf der Veranda. Papi hat sich entschlossen zu grillen – er macht gerade das Feuer an."

„Kommen Funkes herüber?" fragte Katja beunruhigt.

„Ja. Na komm, verfall nicht gleich in Panikstimmung, du kannst ihnen ja nicht ewig aus dem Weg gehen."

Katja nahm einen Stapel Teller und ging nach draußen.

„Morgen, Paps."

Papi haute gerade Markus auf die Finger, der mit sandverklebten Händen nach den Würstchen greifen wollte.

„Morgen, mein Schatz. Ausgeschlafen? Hol mir schnell mal das Öl – und ein bißchen kaltes Wasser, um die Flammen zu löschen."

„Okay, sofort.“

Katja lief in die Küche zurück, wo Mami auf einem Tablett bereits alles bereitgestellt hatte. Bestecke, Papierservietten, Salz, Pfeffer, Senf und Ketchup, zwei große Schüsseln mit Kartoffel- und Gurkensalat, das Öl zum Braten und ein Schälchen mit Wasser. Katja balancierte das schwere Tablett nach draußen und begann, den Tisch zu decken.

„Hallo, unsere kleine Heldin der Arbeit auf Heimaturlaub!“ Herr Funke war unbemerkt hinter sie getreten und legte seinen Arm um ihre Schulter. „Wann isset denn nu soweit? Wir sind alle schon mächtig gespannt auf eure Aufführung! Daß du uns ja die besten Plätze reservierst, Mädchen!“

Ich werde nicht mittanzen, wollte Katja sagen, traute sich dann aber doch nicht.

„Morjn, Katja!“ Luischen erschien mit einer Schüssel rosa Pudding im Arm, die sie schwungvoll auf den Tisch donnerte, dann begrüßte sie Katja mit einem Klaps auf die Backe. „Mal ordentlich ausgeschlafen? Das ist gut. Du hast dir ja mächtig viel auf den Buckel geladen. Aber – alles geht mal vorbei, hab ich nicht recht?“

Wie meinte sie das? Wußte sie etwas? Sicher hatte Klaus ihr wieder alles erzählt. Andrerseits – sie strahlte so viel Wärme und Herzlichkeit aus, daß man unmöglich annehmen konnte, sie wäre böse auf Katja.

Auf dem Grill zischte und brutzelte es, es duftete köstlich nach Gebratenem.

„Kinder, hab ich einen Hunger. Isses bald soweit?“ Der dicke Onkel Erich, in jeder Hand einen Gartenstuhl, trabte über den Rasen und schaute sehnsüchtig auf die schon appetitlich gebräunten Fleischstücke.

„Hallo, Katja“, sagte er freundlich, ohne den Blick von Papis Händen losreißen zu können, in denen sich gerade zwei besonders dicke Steaks befanden, die er auf der Mitte des Grillrosts plazierte.

Nun fehlte nur noch Klaus. Katja fühlte sich unbehaglich, warum kam er nicht?

„Katja! Kannst du mal rüberkommen?“ Klaus lehnte sich aus dem Wohnzimmerfenster und winkte. „Ich möchte dir was zeigen.“

Katja atmete erleichtert auf und lief zum Nachbarhaus.

„Grüß dich. Was willst du mir zeigen?“ sagte sie hastig, um ihre Verlegenheit zu verbergen.

„Komm mit.“

Klaus führte sie in sein Zimmer und deutete mit einer weiten Geste auf die neuen Gardinen, den frisch bezogenen Sessel und die Couch, und schließlich auf die Wand, an der das Poster mit der Büffelherde vor dem Kilimandscharo prangte.

„Na – was sagst du nun? Toll geworden, was?“

„Klasse. Genauso habe ich es mir vorgestellt, als wir . . .“

Katja brach ab und wurde rot. Nun war sie doch auf das leidige Thema gekommen! „Du, ich wollte dir noch sagen, daß es . . .“

„Du brauchst mir nichts zu sagen“, fiel ihr Klaus schnell ins Wort. „Ich muß mich bei dir entschuldigen. Es war blöd von mir, so sauer zu reagieren. Eifersüchtig zu sein auf so einen Opa. Hinterher habe ich mich über mich selbst geärgert. Dabei kann ich dich so gut verstehen – mir ist es nämlich auch mal so ergangen.“

„Wie meinst du das?“

„Na ja – ich war auch mal so begeistert von einem Lehrer. Meinem Schwimmlehrer. Er kam mir vor wie ein Held, ich wollte ihm unbedingt ähnlich werden und habe alles getan was er wollte. Ich hatte keine Zeit für meine Freunde mehr, keine Zeit für die Schule – nur den Tick, ich müßte ein Klasseschwimmer werden . . .“

„Und dann?“

„Och – ist ja unwichtig. Komm, wir müssen rüber, die anderen warten schon.“ Klaus lief voraus und verlor kein weiteres Wort über seine Leidenschaft für den Schwimmlehrer. Katja folgte ihm nachdenklich.

„Da war eben ein Anruf für dich, Liebling. Ein Mädchen aus eurer Ballettschule – sie kann heute Frau Künzel nicht im Krankenhaus besuchen und bittet dich, das zu übernehmen."

„Heute? Nein, ich . . ."

„Ich habe ihr gesagt, du würdest das gewiß gern machen", unterbrach Mami sie und schaute ihr in die Augen. „Ich glaube, es ist gut, wenn du gehst – gerade heute."

Mami hatte recht. Wenn sie sich mit dem Gedanken trug, die ganze Tanzerei hinzuschmeißen, war Frau Künzel die einzige, mit der sie darüber reden konnte. Hatte Frau Künzel nicht gesagt, sie könne mit allen Sorgen zu ihr kommen?

Klaus begleitete sie bis zur Krankenhaus-Pforte. Gemeinsam hatten sie einen bunten Anemonen-Strauß besorgt, und Mami hatte einen Kuchen beigesteuert.

Inzwischen war Katja das Krankenhaus schon vertraut. Sie war mehrmals bei Frau Künzel gewesen und hatte ihr von der Arbeit in der Schule und auf den Proben berichtet.

Frau Künzel sah wirklich erholt aus, sie saß aufrecht im Bett und breitete strahlend die Arme aus, als Katja erschien.

„Marlene konnte leider nicht kommen, da bin ich für sie eingesprungen", sprudelte Katja hervor. „Hier – mit herzlichen Grüßen von meiner Mutter."

„Ihr verwöhnt mich alle so sehr, Kind! In meinem ganzen Leben habe ich nicht soviel Liebe erfahren, wie in den vergangenen Wochen. Ich muß richtig dankbar für meinen Unfall sein, er hat mich bereichert und mich vieles gelehrt. Vielleicht wird dir das auch eines Tages so gehen: daß du entdeckst, daß es gerade die bitteren Ereignisse in unserem Leben sind, die uns neue Türen aufschließen."

Konnte sie hellsehen? Hatte Janos ihr etwas erzählt? Aber nein, unmöglich, sie hatte gewiß nur über sich selbst gesprochen.

„Erzähl mir von dir", fuhr Frau Künzel fort. „Wie geht es dir? Du siehst blaß aus. Janos hat mir erzählt, daß du von allen am härtesten arbeitest. Er hält viel von dir und ist sehr stolz auf dich. Du bist wohl so etwas wie eine Lieblingsschülerin für ihn ..."

„Ach, ich weiß nicht ...", sagte Katja unsicher.

Frau Künzel schmunzelte. „Unter uns: Ich glaube, es ist auch ein bißchen Eitelkeit dabei. Er möchte später einmal sagen können ‚die habe ich entdeckt und gefördert', wenn du eine große Tänzerin geworden bist."

„Ich werde nie eine große Tänzerin."

„Nein?" fragte Frau Künzel lächelnd. „Jedenfalls scheinst du dich prächtig entwickelt zu haben. Alle erzählen mir davon. Und das freut mich für dich Katja, gerade für dich, die du so gar nicht an dich glauben wolltest. Aber – das ist nun vorbei, nicht wahr?" fügte sie eindringlich hinzu.

„Ich weiß nicht ...", stotterte Katja.

„Aber ich weiß es."

Katja sah die Lehrerin bewundernd an. Hatte sie vorhin noch die Absicht gehabt, nie wieder einen Ballettsaal zu betreten? Geschweige denn, bei der Aufführung mitzutanzen?

Na schön, Janos hatte sie enttäuscht. Sie selbst war schließlich auch ganz schön blöd gewesen, seine harmlose Flirterei so ernst zu nehmen. Aber deshalb vor allen das lächerliche Schauspiel einer beleidigten Leberwurst zu spielen? Und eine andere würde dann ihre tolle Rolle spielen, tanzte an ihrer Stelle die beste Partie, die es in dem ganzen Stück gab? Das kam überhaupt nicht in Frage! Sie würde tanzen, daß allen Hören und Sehen verging. Jetzt erst recht!

Katja macht eine Entdeckung

„Das dauert viel zu lange! Wir müssen das noch mal proben! Woran liegt's denn eigentlich?"

„Bloß an dieser blöden Perücke!" jammerte Katja. „Es ist so dunkel hinter der Bühne – und immer bleibt das Ding irgendwo hängen! Ich habe einfach zu wenig Zeit für den schwierigen Umzug."

„Das hilft alles nichts. Dann müssen wir eben so lange probieren, bis es klappt. Mach dich fertig", sagte Janos ärgerlich.

Die anderen murrten. War es nötig, daß Janos sich ausgerechnet für Katja so viel Zeit nahm? Er hatte an ihrem Auftritt gearbeitet und gefeilt, als solle sie beim Ballett-Festival in der Oper auftreten.

Katja stülpte sich von neuem die grauhaarige Perücke und die Halbmaske mit Pappnase und Brille über. Peter Olzhausen spielte auf dem Flügel die Passage kurz vor ihrem Abgang. Janos klatschte in die Hände.

„So – vor – zu ihm – herum – nicht nur andeuten, richtig austanzen, sonst stimmt's wieder nicht!! – Ihn am Arm ziehen – beschwörende Geste – das ist hübsch, ja! – Ihn in den Stuhl drücken – noch mal umschauen, ob er auch bleibt, ja, so, sehr süß – und Abgang!"

Diesmal klappte es schon besser. Katja riß sich das unförmige Kostüm der Verkäuferin vom Leib, unter dem sie schon das feuerrote Kleid trug, in dem sie als Spanierin auftrat. Jetzt die Perücke. Petra hielt ihr den Spiegel hin – so – die schwarzen Locken noch ein wenig geordnet und – fertig. Petra gab das Zeichen für den Musikeinsatz. Los!

„Schon besser. Zwei Sekunden schneller noch, dann ist's

okay. Wir machen weiter. Die Szene mit dem Umzug probieren wir nachher noch mal, ohne die anderen."

„Wenn er es mich noch mal hätte wiederholen lassen, dann hätte ich Schreikrämpfe bekommen", flüsterte Katja Petra zu.

„Ruhe hinter der Bühne!!!"

Petra machte mit dem Kopf ein Zeichen nach draußen. Katja folgte ihr auf den Flur.

„Ganz schön nervös, die Bande!" sagte Petra, als sie draußen standen.

Katja lächelte gequält. „Na, frag mich doch mal! Ich kann schon seit zwei Tagen nicht mehr essen und nicht mehr schlafen vor Aufregung. Ich gäbe was drum, wenn ich den morgigen Tag hinter mir hätte!"

Eine vollbusige, silberblonde Schöne, mit zwei schweren Kästen beladen, kam auf stelzenartigen Sandalen den Gang heraufgetrippelt.

„Bin ich hier richtig bei der Probe der Künzel-Schule?"

„Goldrichtig", antwortete Petra. „Können wir was für Sie tun?"

„Ich bin Waltraud, die Maskenbildnerin. Macht ihr auch mit?"

„O ja, darf ich vorstellen? Das ist Katja, erst Verkäuferin, dann Spanierin – und ich bin Petra und tanze einen Matrosen und später eine Haremsdame."

„Habt ihr einen Augenblick Zeit? Dann können wir schon mal besprechen, was wir morgen machen. Als Matrose sollst du einen Bart bekommen, nicht wahr?"

„Ja, und als Haremsdame muß ich auch am Körper braun geschminkt sein. Hier geht's lang, da ist unser Umkleideraum."

Es ist also nicht mehr aufzuhalten, dachte Katja, und das Flattern im Magen wurde stärker. Das Unheil nimmt seinen Lauf. Noch etwas mehr als vierundzwanzig Stunden, dann stehe ich da draußen, und meine Knie werden weich sein wie rote Grütze. Und ich werde mich an keinen Schritt, keine

Bewegung mehr erinnern können. Und unten all die Gesichter der Leute – der Himmel steh mir bei, ich habe nicht gewußt, daß Lampenfieber so schlimm sein kann!

Wie die Stunden bis zur Aufführung herumgegangen waren, konnte Katja nicht sagen. Sie lebte wie im Traum. Plötzlich war es sechs Uhr abends, und sie lehnte in einem Stuhl, die Augen geschlossen, und fühlte die kühlen Finger Waltrauds, die Schminke, Rouge und Lidschatten auf ihr Gesicht auftrug. Dann verschwand sie kurz in einer Staubwolke, das Make-up wurde mit Puder abgeklopft, schließlich tuschte ihr Waltraud die Wimpern, trug mit einem feinen Pinsel Lidstriche auf, klebte einzelne lange Wimpern zwischen ihre eigenen, bürstete sie schwungvoll nach oben und zeichnete schließlich mit einem kirschroten Lippenstift ihre Lippen nach.

Endlich durfte Katja sich aufrichten. Sie mußte zweimal hinschauen, ehe sie glaubte, was sie sah. Waltraud hatte aus ihr eine glutäugige Schönheit gemacht. Katja hatte das Gefühl, in der letzten halben Stunde gewachsen zu sein. Unwillkürlich nahm sie die Pose der stolzen Flamenco-Tänzerin an, die sie darstellen sollte. Waltraud war bereits dabei, die schwarze Perücke festzustecken.

„Die graue Perücke und die Maske stülpen wir erst im letzten Moment über, damit du nicht zu sehr ins Schwitzen kommst."

Katja nickte benommen.

„Die nächste, bitte!"

Während Ulrike auf Waltrauds Stuhl Platz nahm, ging Katja nach draußen. Im Nebenraum waren mehrere Mütter dabei, die jüngeren Darsteller zu schminken und anzuziehen.

Der Zuschauerraum war leer. Auf der Bühne korrigierte Janos mit Hilfe eines jungen Technikers die Beleuchtung. Sollte sie zu ihm gehen? Nein, lieber allein sein jetzt, noch einmal alles durchdenken. Die Minuten bis zum Anfang schienen sich wie ausgeleierte Gummibänder zu dehnen.

Und dann ging plötzlich alles ganz schnell. Hastiges Toi-toi-toi-Sagen hinter der Bühne, letzte Ermahnungen, das Summen im Zuschauerraum, das von einem Moment zum andern erstarb. Licht aus! Vorhang auf! Peter schlug die ersten Takte des Vorspiels an – Achtung – Bühnenlicht!

Katja stolperte auf die Bühne, mit Regenschirm und übergroßer Handtasche. Der erste Lacher! Gut – weiter. Kampf mit dem widerspenstigen Regenschirm – wieder ein Lacher – gut so. Jetzt die Handtasche – verzweifeltes Suchen – wo ist nur? Ich hatte doch – ah, da, endlich! Das Frühstücksbrot aufklappen – schnuppern – zuklappen, jetzt die Thermosflasche – umständlich wegpacken – nun der Hut, er muß dreimal runterfallen vom Haken, geschafft, die Leute johlen vor Lachen. In der Seitengasse Flüstern, Janos' Stimme: Großartig Mädchen, du hast sie am Angelhaken! – Jetzt Brittas Auftritt als geschniegelter junger Verkäufer und Marlene als kesse Verkäuferin im Minirock, die immer zu spät kommt. Katja watschelte ihr entgegen und fuchtelte ihr drohend mit der Uhr vor der Nase herum.

Uff, kleine Verschnaufpause. Jetzt kam der Auftritt der Jüngsten. Constanze und Inga als komisches Ehepaar wollen eine Reise nach Holland buchen. Lichtwechsel! Klappt es? Es hat geklappt. Der Holzschuhtanz der ganz Kleinen. „Süß!" – „Ist das nicht goldig?" hört man's im Zuschauerraum raunen.

Nächste Nummer. Petra als Matrose, der in die Alpen will. Komische Bergsteiger-Nummer der Turngruppe. Schuhplattler der Zehnjährigen. Starker Applaus, gut so.

Ulrikes Nummer als Mutter von fünf Kindern. Warum ist sie noch nicht da? Na endlich. Jetzt die Akrobatik-Gruppe – Vorsicht, nicht zu weit nach vorne, ihr kugelt über die Rampe! Gott sei Dank, gutgegangen! Da ist schon Elfie als sauertöpfischer Junggeselle, der nach Wien möchte. Die Ballettnummer, einer der Höhepunkte. Constanze als Primaballerina. Sie ist nervös, das spürt man, aber sie fängt sich schnell.

Jetzt noch Rico mit seiner Nummer, Donnerwetter, er versteht es immer noch, sein Publikum zu fesseln, auch seine Step-Schüler können sich sehen lassen. Achtung – jetzt wird's gleich ernst. Ingas zweiter Auftritt als verwöhnter Dandy, den Katja zu einer Reise nach Spanien überreden will. Gestenreiche Pantomine mit Inga – nichts interessiert den Herrn – nicht Italien, nicht Afrika. Katja zeigt auf Schottland. Die Bühne füllt sich mit tanzenden Schotten. Der Herr schüttelt verächtlich den Kopf. Vielleicht Rußland? Ausgezeichnet die kleine Kathrin in ihrem russischen Tanz – Szenenapplaus bei ihren Sprüngen aus der Hocke. Prima, Mädchen! Und jetzt – lieber Gott, hilf mir! Katja drückte Inga so schwungvoll in den Stuhl, daß sie fast umkippte. Hinter der Bühne standen Petra und Waltraud bereit, mit Waltrauds Hilfe klappte der Umzug wie am Schnürchen, sie kennt sich in solchen Dingen aus. Zeichen geben: fertig! Licht auf der Bühne aus. Hoffentlich stehe ich an der richtigen Stelle für die Scheinwerfer, ja, sie blenden teuflisch, also stehe ich richtig, schießt es Katja durch den Kopf. Im Publikum ein überraschtes „Ahh!" Warum ist das Tonband noch nicht an, ich werde hier ja zur Salzsäule. Na endlich – gut, daß die Kastagnetten auf dem Tonband mit drauf sind, das hätte ich nie geschafft – sich zwingen, die ersten Schritte ganz langsam zu machen, wie unter einer mit Gewalt unterdrückten Spannung – Kopf in den Nacken.

Schon bei den ersten Schritten ging mit Katja eine eigenartige Verwandlung vor sich. Ihr war, als sei nicht sie es, die da tanzte. Etwas anderes, Fremdes schien von ihr Besitz ergriffen zu haben, schien sie mitzureißen. War es die Musik, die ihr vorkam, als höre sie sie heute zum erstenmal? Sie spürte eine Wachheit, die sie noch nie erlebt hatte, bis in die Fingerspitzen, bis in die Zehen ging dieses Gefühl. Als säße ihr Gehirn nicht nur im Kopf, sondern überall zugleich in ihrem Körper. Ein neuer, ein fremder Körper, und trotzdem wirklicher als der alte, der ihr vorkam, wie eine harte, tote Eierschale, die sie gerade eben aufgepikt und abgeworfen hatte. „Ich bin wach, ich bin da", sagte dieses neue Ich, „seht mich an, ich bin lebendig, ich sprühe Funken, so lebendig bin ich! – Tamteratatam – tada – tamteratatam – tada ramtatatata –

Was danach kam, der tosende Beifall, die Gratulationen der Freundinnen und Mitschülerinnen, Janos, der sie in die Arme nahm und flüsterte: „Jetzt bist du auf dem Weg", nahm sie kaum war.

Erst als sie vor dem Spiegel saß, um sich abzuschminken, kam sie zur Besinnung. Das bin ich, dachte Katja. Dieses schöne Mädchen dort bin ich! Sie zog sich die Perücke vom Kopf und fuhr mit den Händen durch ihre Haare. Dann klatschte sie sich einen dicken Klecks Fettcreme ins Gesicht und begann, die Schminke zu entfernen. Danach hielt sie den Kopf unter die Wasserleitung und rubbelte mit einem Tuch die Reste von Fett und Rouge vom Gesicht. Als sie wieder in den Spiegel sah, war sie nicht überrascht, das Mädchen, das sie nun ansah, nicht weniger hübsch zu finden.

Katja legte den Zeigefinger an die Nasenspitze, drückte sie nach oben und betrachtete ihr Profil. Petra beobachtete sie verstohlen.

„Ei, wen haben wir denn da?" fragte Katja geziert. „Die hübsche, aparte, begabte Katja Steinebach. Diese großen Augen! Dieses herrliche Haar! Die märchenhafte Haut, na und die entzückende kleine Nase. Und dabei so klug, das Mädchen! Und haben Sie sie mal tanzen gesehen? Phänomenal!"

„Na, hoffentlich drehst du nicht völlig durch!" sagte Petra trocken.

Katja kicherte.

„Keine Angst", fuhr sie in dem gleichen Singsang von vorhin fort. „Ich habe nur gerade eine Entdeckung gemacht."

„Und was hast du entdeckt?"

„Mich."

*

Wenn Katja den Kopf zurücklehnte, konnte sie durch das Rückfenster des Autos gerade in den Himmel sehen. Die Baumkronen hoben sich gegen den mondhellen Nachthimmel ab, es war, als flöge ein schwarzer Spitzenschleier über ihr dahin.

„Warum lachst du?“ fragte Celia.

„Wahrscheinlich weil sie glücklich ist“, antwortete Mami an Katjas Stelle.

„Oder weil sie zuviel Sekt getrunken hat“, warf Papi ein. „Sie hat einen Schwips.“

„Man kann auch vor Glück beschwipst sein“, tadelte Mami, „und schließlich hat sie allen Grund. Ein schöner Sieg. Ein glückliches Ende nach einer langen, harten Arbeit.“ Es klang feierlich, und eine Weile wurde es still im Auto.

„Das ist es gar nicht“, sagte Katja plötzlich. „Es ist etwas ganz anderes.“

„Kein Schwips und nicht der Erfolg – was ist es dann?“ fragte Papi.

„Ich weiß nicht, ob ich es erklären kann. Aber als Mami eben vom ‚Ende eines Weges‘ sprach, da ist es mir klargeworden. Es ist nicht das Ende, sondern der Anfang. Daß ich den Anfang des Weges gefunden habe. Darüber bin ich glücklich. Versteht ihr das?“

„Nö“, sagte Celia. „Aber das macht ja nichts. Hauptsache, du verstehst es.“

Deckelbild: Nikolaus Moras
Illustration: Werner Heymann
Textredaktion: Karin Bonow-Lochner
Bestellnummer: 7709

München – Wien
ISBN 3 505 07709 7

Spannende Schneider-Bücher der Autorin:

Bille und Zottel
Pferdeliebe auf den ersten Blick

Bille und Zottel
Zwei unzertrennliche Freunde

Bille und Zottel
Mit einem Pferd durch dick und dünn

Applaus für Bille und Zottel
Die Freunde veranstalten eine große Pferde-Show

Bille und Zottel
Die schönsten Ferien hoch zu Roß

Bille und Zottel
Gefahr auf der Pferdekoppel

Ein Cowboy für Bille und Zottel
Überraschender Besuch aus Amerika

Bille und Zottel Sammelband 1
Billes Erlebnisse mit ihrem geliebten Pony Zottel

Mit 13 hat man täglich Ärger
Ein Mädchen sucht Freundschaft

Mit 14 glaubt man an die Freundschaft
Beglückende Ferien in einer Reiterpension

Mit 15 wachsen einem Flügel
Katja hat sich gemausert

Mit 16 tanzt man in das Leben
Katja ist endlich am Ziel

MARGOT KREUTER

**Laß das mal
Christine machen!**

Christine sieht sich am Ziel ihrer Wünsche. Endlich hat sie die Schule beendet, endlich wird sie allein leben können. Aber damit beginnen auch viele Schwierigkeiten, denn als selbstbewußtes Mädchen kann Christine sich nicht vorstellen, daß andere junge Leute sie nicht akzeptieren. Doch Christine läßt sich nicht unterkriegen . . .

Schneider-
Buch

Die Seite zum Lachen

Zwei Doofe gehen mitten auf der Straße.
Sagt der eine: „Laß mich auch mal in der Mitte gehen!"

★ ★ ★

Eine alte Dame fragt an der Ampel einen jungen Mann: „Könnten Sie mir bitte über die Straße helfen?"
Sagt der Mann: „Aber gern, nur ist ja jetzt noch Rot!"
Darauf die Dame empört: „Bei Grün kann ich auch allein gehen!"

★ ★ ★

Zwei Freunde treffen sich. Sagt der eine: „Mensch, Karl, du siehst aber schlecht aus! Was machst du denn?"
Sagt Karl: „Ist ja auch kein Wunder, jeden Tag die schweren Kohlensäcke treppauf, treppab, und das den ganzen Tag!"
„Wie lange machst du das denn schon, um Himmels willen?"
„Morgen fange ich an!"

„Ich habe gehört, daß du jetzt bei der Post als Stempler arbeitest. Ist das nicht furchtbar langweilig?"
„Wieso denn?" sagt der Angesprochene beleidigt. „Abwechslungsreicher geht's gar nicht. Wo wir jeden Tag ein anderes Datum haben."

Familie Koch sitzt beim Mittagessen. Heute gibt es Klärchens Lieblingsspeise. Klärchen ißt den Wackelpudding so hastig, daß sie sich verschluckt.
Da fragt die Mutter: „Hast du dich verschluckt, Klärchen?"
Ruft Klärchen aufgeregt: „Ne, ne, ich bin noch da."

„Kein Grund zur Aufregung, meine Damen und Herren, ich hole schnell Hilfe", sagt der Pilot, als er mit seinem Fallschirm aus dem brennenden Flugzeug sprang.